Silvia Adela Kohan

COMO NARRAR UMA HISTÓRIA

Da imaginação à escrita:
todos os passos para transformar
uma ideia num romance ou num conto

Guias do Escritor

Silvia Adela Kohan

Tradução: Gabriel Perissé

COMO NARRAR UMA HISTÓRIA

Da imaginação à escrita:
todos os passos para transformar
uma ideia num romance ou num conto

1ª edição
3ª reimpressão

Título original: *Cómo narrar una historia*

EDITORA RESPONSÁVEL
Rejane Dias

REVISÃO TÉCNICA
Cristina Antunes

REVISÃO
Ana Carolina Lins

PROJETO GRÁFICO
Diogo Droschi

CAPA
Diogo Droschi
Alberto Bittencourt

DIAGRAMAÇÃO
Patrícia De Michelis

Dados Internacionais de Catalogação na Publicação (CIP)
(Câmara Brasileira do Livro, SP, Brasil)

Kohan, Silvia Adela
Como narrar uma história : da imaginação à escrita : todos os passos para transformar uma ideia num romance ou num conto / Silvia Adela Kohan; tradução Gabriel Perissé. – 1. ed. ; 3. reimp. – Belo Horizonte : Editora Gutenberg, 2016. – (Guias do Escritor ; 3)

Título original: Cómo narrar una historia
Bibliografia.
ISBN 978-85-89239-85-1

1. Arte de escrever 2. Contos 3. Romances 4. Escrita criativa I. Título. II. Série.

10-07524 CDD-808

Índices para catálogo sistemático:
1. Arte de escrever : Técnica de redação 808

A **GUTENBERG** É UMA EDITORA DO **GRUPO AUTÊNTICA** 

São Paulo
Av. Paulista, 2.073,
Conjunto Nacional, Horsa I
23º andar . Conj. 2301 .
Cerqueira César . 01311-940
São Paulo . SP
Tel.: (55 11) 3034 4468

Belo Horizonte
Rua Carlos Turner, 420
Silveira . 31140-520
Belo Horizonte . MG
Tel.: (55 31) 3465 4500

Rio de Janeiro
Rua Debret, 23, sala 401
Centro . 20030-080
Rio de Janeiro . RJ
Tel.: (55 21) 3179 1975

www.editoragutenberg.com.br

Sumário

1. O ATO DE CONTAR 7

Entre a ideia e a escrita 8
A narração literária 8
O estilo pessoal 9
O processo do relato escrito 10
Os momentos preliminares 12
As fontes produtivas 14
Trabalhar a ideia 19
A dificuldade mais comum 21
Parar e delinear 21

2. MODOS DE PLANEJAR UM RELATO 23
O ciclo narrativo 24
Um roteiro útil 26
Etapas da construção 27
Apresentação, nó da narrativa e desenlace 28
Fazer um esquema de funções 29
Elaborar e planejar 30
Por que um desenvolvimento, e não outro 31
Como começa a história escrita 31
Quando a história se conclui 33

3. COMO TRABALHAR A TRAMA 35
Formas de narrar 36
Por que as cenas? 37
O resumo 38
A ação 38
O recurso às unidades 39
Desanuviar o clima 39
Uma proposta 41
Diferentes tratamentos narrativos na mesma história 42
O mesmo argumento tratado de diferentes modos 44

4. SABER DESCREVER CENÁRIOS E ATORES 47
Descreve-se para contar 48
Criar uma atmosfera 50
As técnicas e o ritmo 51
Torne-se um grande observador 53

5. A VOZ QUE NARRA 55
O que faz o narrador 56
O narrador protagonista 56
O narrador testemunha 59
O narrador onisciente 60
Duas modalidades opostas de narrador 62
Diálogo 62
Monólogo 64

6. O PERSONAGEM É SEU ALIADO 67
Sua criação 69

7. AS FUNÇÕES DO TEMPO E DO ESPAÇO 73
Artifícios literários 74
Principais objetivos 75

8. CONCLUSÃO 79

NOTAS 83

1.

O ato de contar

Contar histórias é um ato essencialmente humano. Sentimos necessidade de contar o que nos acontece e o que acontece com os outros, tendo como pano de fundo a busca do sentido da vida. Uma forma de contar histórias é criar narrativas por meio da escrita.

No entanto, as hesitações são muito comuns na hora de escrever. Não sabemos como colocar nossas ideias no papel. Como transformar uma ideia em narrativa escrita? O que temos de fazer para que uma ideia ou um sentimento inicial — uma sensação, uma imagem, uma lembrança — se transformem numa história? Como fazer disso tudo um conto ou um romance?

Essas questões serão abordadas neste livro.

ENTRE A IDEIA E A ESCRITA

Ao narrar uma história, partimos de experiências pessoais ou recontamos histórias que outros viveram. Estas experiências são retomadas pelo escritor de modo parcial ou total, de modo consciente ou inconsciente. O escritor recria a realidade caótica da vida, ampliando, reduzindo, inventando o que for necessário para construir um mundo novo e coerente, com o qual o leitor possa se deleitar, desde que a história (tenha ela ocorrido ou não) seja convincente.

Mas será o ponto de partida da escrita uma ideia — para alguns se trata de uma revelação, para outros, a ideia é invasão a ser rechaçada —, ou primeiro partimos de um motivo, uma palavra, uma imagem, e só depois começamos a entrever seu desenvolvimento?

As duas coisas podem acontecer. O escritor espanhol Javier Marías está no grupo daqueles que primeiro precisam escrever para depararem mais tarde com a ideia que os motivou. Diz ele:

> Somente quando terminei de escrever meu romance *Coração tão branco* percebi que tratava do segredo e de sua possível conveniência, da persuasão, da instigação, do casamento, a responsabilidade de sabermos o que acontece ao nosso redor, da impossibilidade de saber e a de ignorar, a desconfiança, o falar e o calar.*

A NARRAÇÃO LITERÁRIA

Uma narração literária é a construção de uma história fictícia (conto ou romance) que obedece a uma série de convenções ficcionais, elaboradas de tal modo que o leitor a sinta como uma história crível, chegando a esquecer-se de que, na realidade, está diante apenas de palavras e personagens de papel.

Para elaborar uma narrativa há numerosos pontos de partida e formas de desenvolvimento. Podemos partir de uma ideia simples ou complexa, esboçada ou completa, real ou imaginária; talvez de uma realidade que já vivemos, de algo com que sofremos ou de algo totalmente inventado, ou também de uma combinação de elementos, na qual haverá partes de uma história pessoal e de coisas que outras pessoas viveram; tudo isso enfocado sob a perspectiva que preferirmos.

Uma história pode ser deflagrada de inúmeras formas. Há formas melhores, outras nem tanto, mas, em todos os casos, uma boa história escrita sugere algo que supera ou transcende o explícito ou o evidente.

Se você, por exemplo, pretende contar as vicissitudes amorosas de um casal depois de ter acompanhado por certo tempo os altos e baixos de um relacionamento entre duas pessoas do seu círculo de amizades, e ficou marcado por certos aspectos do que presenciou, deverá agora encontrar um significado universal que permeie tal experiência, uma intenção, conectada à ideia inicial, que dê sustentação ao relato. Para isso, um bom método é perguntar a si mesmo sobre esses aspectos que o impressionaram, entender por que o marcaram, perguntar sobre a inquietação que provocam e o motivam a escrever uma narrativa literária; perguntar, enfim, se essas preocupações que o assaltam podem, de fato, reportar ao gênero humano (esse fator universal é indispensável) ou se estão ligadas a um acontecimento irrelevante (fator anedótico, individual, prescindível).

Ou seja, uma narração literária não é a cópia de uma história real. Precisa transcendê-la. Por isso sua ordem cronológica é diferente da real, adequando-se aos objetivos do escritor.

O ESTILO PESSOAL

Do ponto de vista literário não existe ideia ruim ou boa. Sua eficácia dependerá de como será transformada em relato, dependendo da forma linguística que dermos aos nossos pensamentos. É assim que nasce o estilo pessoal. Quanto mais bem definido o estilo, com maior nitidez a ideia será percebida. Escritores como

Franz Kafka, William Faulkner e Jorge Luis Borges criaram estilos tão peculiares e exclusivos que acabaram abrindo caminhos de experimentação para muitos outros.

Não é preciso recorrer a uma ideia complicada. As mais simples possibilitam os melhores resultados, contanto que exista uma harmonia entre aquilo que se conta e o modo como se conta. Como diz Mario Vargas Llosa (1936-), em *Cartas a um jovem escritor*[1]:

> É a forma que a reveste que faz com que uma história seja original ou trivial, profunda ou superficial, complexa ou simples, o que dá consistência, ambiguidade e verossimilhança aos personagens ou faz deles caricaturas sem vida, marionetes. Esta é outra das poucas regras no terreno da literatura que, acho eu, não admite exceções: em um romance, os temas em si nada pressupõem, pois serão bons ou ruins, atraentes ou enfadonhos, exclusivamente em função do que faça com eles o escritor ao convertê-los em uma realidade de palavras organizadas segundo uma certa ordem.

Quando falamos que um escritor tem "estilo", estamos nos referindo à sua linguagem, que corresponde ao seu modo de ver e sentir as coisas, e a uma musicalidade interna que o autor infunde no texto.

Para você encontrar o seu próprio ritmo, pode fazer como Gao Xingjian, que fala ao gravador o seu texto e depois o escuta no escuro. O escritor está preocupado com a musicalidade, procura os efeitos que nascem da sonoridade da língua, da repetição de determinadas palavras. É desse exercício que nasce o seu estilo.

O PROCESSO DO RELATO ESCRITO

Para escrever um relato é preciso ter uma história que, por alguma razão, mereça ser contada. Mas ter uma boa ideia não significa ter uma boa história, e ter uma boa história não garante que se vá escrever um bom relato.

Por outro lado, várias dificuldades costumam se apresentar quando se dá forma a uma ideia. Por exemplo, a ideia pode se fragmentar em muitas outras, ou pode acontecer que sua transformação em escrita leve a um resultado muito pobre. Para enfrentar essas dificuldades é necessário conhecer as condições que regem o processo, condições imprescindíveis para exercer a tarefa do escritor. É preciso conhecer os "mandamentos" a serem seguidos na hora de se passar da ideia à narrativa escrita.

Dentre as principais condições destaquemos:

1. Ir do geral ao particular e do particular ao universal: indicar com exatidão o tema e seus componentes.

   O escritor deve saber tomar a devida distância de sua experiência pessoal, que lhe oferece informações de todos os tipos para alimentar sua ideia, e desenvolvê-la de um modo transcendente. Distanciar-se do "eu sou eu" para chegar ao "eu sou outro" dos escritores clássicos.

   Da multiplicidade em que você está mergulhado poderá extrair uma experiência particular que será o motor ou o alimento de sua narrativa escrita.

   Embora se trate de experiências pessoais, o mundo escrito deve ter um significado universal. Essa é a chave para atingir o leitor.

2. Ir da totalidade ao mundo narrado: compor a intriga.

   De todas as ideias possíveis, uma será escolhida como fio condutor, que se transformará ao longo do processo criativo. Será necessário concretizar os encadeamentos que vão compor o enredo, sua intensidade e seus momentos de tensão ou mudança. O material será selecionado tendo em vista um objetivo claro para conferir credibilidade e interesse ao relato ficcional.

3. Unir argumento e forma: trabalhar o enredo.

   Contar uma história implica transmitir uma série de informações sobre acontecimentos, personagens ou momentos especialmente importantes ou significativos do ponto de vista de quem escreve.

   Para que a história narrada seja captada por um leitor, e para que muitos outros se interessem por ela, você deve articular as informações contidas no relato, atribuindo-lhe um valor especial (e universal, para ser lido em diferentes lugares e épocas), mediante uma urdidura argumentativa que corresponda à forma pertinente para essa história em particular.

   As combinações que você realizar com os materiais darão origem à forma interior da obra narrativa. O escritor deve combinar e distribuir o material linguístico em vista de um conjunto, experimentando novas formas de apresentar a história, com o intuito de atingir o tom correto.

> Delimite a sua ideia, concretize a história a narrar e pergunte a si mesmo se prefere um enredo uniforme ou descontínuo e fragmentado para desenvolver essa ideia que se transformará num relato.

OS MOMENTOS PRELIMINARES

Os passos imediatamente anteriores à escrita da história podem aparecer sem que você os procure ou, por outro lado, podem ser previstos e programados. Os passos são basicamente estes:

Estímulo impulsionador

Muitos o chamam "inspiração", mas não consiste em algo de caráter mágico. Trata-se do resultado da predisposição para criar, de uma energia que domina o escritor e deve ser expelida.

Pode nascer de um sonho, da leitura de um livro ou um jornal, da observação de uma pessoa ou de um personagem de cinema. Mas também pode ser algo que já existia em sua mente e de repente brota e começa a assumir uma determinada forma.

Valiosas jazidas para o escritor de romances e contos são as paixões ou os sentimentos extremos que você tenha experimentado em certos momentos da vida, por força de alguma necessidade íntima, uma carência, uma inquietação.

Usa-se muitas vezes a metáfora do parto para definir a produção de uma ideia escrita, sua "colocação" no papel. Parir requer uma espera. Apressar esse processo pode levar a um aborto. Com a ideia ocorre algo semelhante. A diferença é que não pode haver uma espera passiva no caso da criação literária. Pode-se provocar a aparição da ideia mediante atividades que despertem a necessidade de trazê-la à luz, tanto para desenvolver a ideia inicial quanto para superar os bloqueios (uma ideia que deixa de ser interessante depois de algumas páginas ou quando simplesmente não se sabe como continuar a história).

Em resumo, é possível provocar o estímulo, mas de modo algum devemos forçá-lo.

> Quando você perceber um sentimento intenso, um impulso emocional, eis o momento de escrever. Leve sempre com você um pequeno caderno de anotações e não se canse de registrar coisas, mesmo que lhe pareçam banais. Anote tudo: objetos percebidos, sensações, descrições...

Documentação

As fichas de documentação sobre a matéria a tratar e os esboços prévios à escrita definitiva são instrumentos que costumam facilitar a tarefa. Muitos escritores se documentam durante longo tempo sobre aspectos que, aproveitados ou não mais tarde, conhecerão com suficiente familiaridade, permitindo-lhes criar para o leitor o ambiente em que vivem os personagens, nos seus mínimos detalhes, ainda que não o descreva no texto.

A documentação consiste em reunir detalhes específicos sobre a situação a desenvolver para a criação de uma história verossímil. Por exemplo, se um escritor quer incluir um envenenamento na trama, convém conhecer o maior número possível de produtos, indicações de uso, efeitos, etc. Se deseja transmitir certa atmosfera, é necessário confeccionar um inventário de odores, sabores, tipos de plantas, cores do céu, etc. À medida que recolhem mais dados, alguns escritores vão refazendo três, quatro, cinco vezes os seus rascunhos.

Não comece a escrever o texto definitivo antes de saber como serão os seus personagens: vestimenta, estatura, idade, sua forma de pensar e falar, classe social a que pertencem. Bem como o lugar no qual os fatos se darão: aparência, matizes, móveis e objetos que houver nos espaços fechados, o que existe nos espaços exteriores, etc. E também em que época a história vai se passar e quem será o narrador.

Você pode guardar as informações em fichas, intituladas com os temas a tratar: "conteúdo de uma cozinha", "espécies de bosques", "armas de fogo", etc. Nessa tarefa, os dicionários temáticos especializados serão de grande utilidade, fornecendo informação abundante. Patrick O'Brian, autor de alguns dos melhores romances náuticos já escritos, criou para si mesmo uma experiência de navegação que não possuía; jamais navegou, não sabia fazer sequer um nó de marinheiro. Contudo, profissionais do mar leem e releem seus livros.

A documentação pode igualmente produzir ideias. O conteúdo das fichas poderá lhe oferecer novos caminhos quando vier um momento de estagnação.

Nenhuma documentação, porém, será realmente útil se não for algo entranhável. Ou seja, a documentação ajudará do ponto de vista técnico ou informativo, contanto que você possa vivenciar os dados recolhidos e senti-los como os sentem os personagens que concebeu.

> De posse do tema e da base argumentativa, você deve documentar-se: fazer suas observações, ler, pesquisar sobre o tema. Embora você não chegue a utilizar toda a documentação recolhida, é imprescindível conhecer pormenorizadamente o mundo ficcional que construiu.

Base argumentativa

Na base argumentativa opera-se uma união entre estímulo impulsionador e documentação.

É a hora de conceber uma história coerente, uma narração cronológica dos fatos principais, a matéria reforçada pela documentação recolhida que você vai trabalhar até lhe conferir um sentido particular.

Enfatizemos, porém, que não é conveniente desenvolver a base argumentativa a partir da lógica, mas sim das emoções que uma historieta, uma ideia ou uma visão lhe suscitam, gerando esse argumento. As lacunas deverão ser preenchidas por sua experiência de vida, mais do que por seus raciocínios.

Você pode partir de um incidente, saber com clareza como será a história até um determinado ponto e, depois, para encontrar novas saídas e ir em frente, formular algumas hipóteses. Poderá aplicar a conhecida fórmula "o que aconteceria se...", de Gianni Rodari, com a qual você imaginará diferentes variantes dos fatos a partir do último que escreveu e escolherá a mais adequada. O ideal, nesse caso, será escolher a resposta que os seus sentidos perceberem com mais força, tornando a história mais convincente.

> Um argumento não é a narrativa literária. É a base da intriga, uma história que transpassa seus sentidos e que você poderá organizar numa trama, desmontando-a e conferindo-lhe a forma que preferir.

AS FONTES PRODUTIVAS

É evidente que as ideias, venham de onde vierem, sejam espontâneas, sejam motivadas, surgem de um processo interior.

O escritor espanhol Gustavo Martín Garzo associa o encontro da ideia com a atitude de um ladrão aventureiro:

> Acontece antes de você escrever e enquanto você escreve. Mas o primeiro momento é aquele em que você, de repente, recebe uma espécie de chamado, um aviso de que existe ali algo de valioso para você, algo que é preciso pegar e levar com você para outro lugar. É difícil explicar. Gosto de usar a metáfora do ladrão. Mas penso num ladrão que saísse para roubar sem a ideia exata do que estivesse procurando. Que não vai à procura de dinheiro, algo com que pudesse comprar outras coisas e que um determinado sistema considera o paradigma do valor. O ladrão de que falo procura algo

> com outro tipo de valor, um valor secreto e misterioso. Seria um ladrão que entra numa casa guiado pela intuição, pelo pressentimento, sem saber muito bem o que procura, mas que sabe reconhecer o que procurava quando finalmente depara com algo valioso.*

De onde vêm as ideias que podem ser o primeiro impulso para escrevermos uma história? Qual é a base sobre a qual uma história se sustenta ou prossegue depois que você começou a escrevê-la, deixando-a interrompida num determinado ponto?

Entre outras fontes, existem essas:

De um episódio vivido

A mais insignificante situação pode levar você a escrever um romance.

Patricia Highsmith contava que, certa vez, umas crianças invadiram, gritando, o seu local de trabalho. Inicialmente ela ficou bastante chateada, mas depois escreveu a história de um arquiteto constantemente perturbado por umas crianças que debocham dele. A situação foi crescendo em sua imaginação. As relações entre as crianças e o protagonista se complicam. No final, elas acabam matando o arquiteto. O conto se chama *Os bárbaros*.

Sugestão: preste atenção a todos os incidentes que afetem seu estado de ânimo, anote o que aconteceu e o que você sentiu. Com o tempo, aquelas sensações ganharão corpo e se tornarão o início de uma longa história.

Da imprensa

Se você lê como um detetive, à caça de um objetivo, a imprensa diária contém numerosas sugestões para narrar uma história. Entre as notícias compiladas você pode selecionar as que lhe trazem recordações ou remetem você a um local, a algum personagem, ou que oferecem dados para uma história.

A origem de *Lolita*, segundo relatou o autor, Vladimir Nabokov, está num jornal:

> Tanto quanto me recordo, o frêmito inicial de inspiração foi de alguma forma provocado, de maneira um tanto misteriosa, por certo artigo de um periódico, creio que do *Paris-Soir*, sobre um macaco do zoológico de Paris, o qual, após ser adestrado durante dez meses por cientistas, produziu o primeiro desenho a carvão feito por um animal; e esse esboço, reproduzido pelo periódico, mostrava as grades da jaula da pobre criatura.*

A proposta geral é que você, diariamente, copie num caderninho de anotações as notícias que chamem sua atenção. Poderão ser úteis como lista de ideias.

E como aproveitá-las depois?

Como matriz de uma história ou como história secundária dentro da principal.

As propostas específicas seguem adiante, acompanhadas das correspondentes sugestões:

1. Você lê a notícia, resgata uma lembrança e estabelece uma cadeia de associações a partir dessa lembrança.
   Exemplo de notícia:
   Manifestação de estudantes a favor do ensino gratuito.
   Sugestão: Lembranças do seu tempo de estudante.
   Cadeia de associações: Você lembrará o colega que liderava as passeatas / imaginará o que terá acontecido com ele / poderá transformá-lo em personagem e escrever sua história.

2. Você lê duas ou mais notícias e, relacionando uma com a outra, pensa numa história.
   Exemplo de duas notícias:
   a. *Em Madri, milhares de pessoas exigem a reforma do Plano Hidrológico e passam a noite em vigília.*
   b. *O dia a dia de um imigrante em viagem.*
   Sugestão (resultante das duas notícias): Você se lembra de um parente camponês que morreu de tristeza ao ter de emigrar de seu povoado assolado pela seca e escreve uma história coletiva em um povoado, com caráter universal.

3. Você lê várias notícias para extrair de cada uma as informações que considerar convenientes.
   Exemplo de notícias:
   - *Interrompidas as operações de resgate do submarino X por falta de recursos econômicos.*
   - *Uma ponte desabou sobre um rio dez minutos antes que um trem com centenas de passageiros a atravessasse.*
   - *Os astronautas estiveram durante quase nove horas no espaço.*
   - *Cerca de dois mil menores de idade desaparecem todos os dias nos Estados Unidos.*
   - *Várias pessoas denunciaram como obscena a mostra de fotografia na qual aparecem duas fotos com crianças nuas na praia e na neve.*

- *Crianças precisam caminhar 12 quilômetros a pé para chegar à escola.*

Sugestão: Você anota os dados de cada notícia e, misturando-os, escreve um relato.

Por exemplo:

- *Duas crianças que haviam desaparecido reaparecem nuas dentro de um trem que esteve a ponto de cair da ponte...*

De uma frase

Outras vezes, a história nasce do desenvolvimento de uma frase. Depois de ler um ensaio de Flannery O'Connor, no qual falava da escrita como descoberta, Raymond Carver adotou esse sistema: escrever um relato partindo de uma frase. Assim ele descreve a sua primeira experiência:

> Sentei-me então para escrever o que deveria se tornar uma bela história, embora eu só tivesse a primeira frase no momento em que lhe dei início. Durante alguns dias esta frase vinha dando voltas em minha cabeça: "Ele estava passando o aspirador de pó quando o telefone tocou". Eu sabia que ali estava a história, que daquelas palavras brotava a sua essência. Eu tinha o forte pressentimento de que aquela frase poderia crescer, tornar-se um conto, se eu lhe dedicasse o tempo necessário. Depois dessa primeira frase, escrita numa manhã, outras frases começaram a brotar. Posso afirmar que escrevi esse conto como se estivesse escrevendo um poema: uma linha, e outra, e mais outra. Com surpresa, em pouco tempo vi a história pronta e soube que era minha, a única pela qual eu tinha esperado para escrever.*

Sugestão: Anote as frases que você leu ou ouviu e que despertaram sua curiosidade e utilize-as quando perceber que se expandem em novas direções.

De uma sensação

Há sensações duradouras que, mais cedo ou mais tarde, podem motivar o começo de um relato, como aconteceu com José Luis Sampedro no seu primeiro romance, *El río que nos lleva*:

> Tinha eu treze anos de idade em 1930 e acabava de chegar a Aranjuez. Logo fiz amizade com outros rapazes da minha idade. No verão, íamos nadar todos os dias no rio Tejo. Até que, numa certa manhã de agosto, não pudemos mergulhar. O rio parecia assoalhado, estava completamente coberto de troncos de árvore

> flutuantes. Alguns homens, saltando sobre eles ou caminhando na margem do rio, empurravam esses troncos ou os puxavam com varas com ganchos na ponta, conduzindo-os para uma queda-d'água de uma represa, de onde continuavam flutuando rio abaixo até a praia. [...] Aqueles homens, rudes, broncos, pastores de troncos sobre o rio, me deixaram de tal modo impressionado [...] que nunca mais pude esquecê-los.

Sugestão: Procure entre as sensações que você traz guardadas no seu íntimo aquelas que costumam vir à tona minutos antes de adormecer. Aprofunde a mais impressionante até passar do plano real para o terreno do imaginário.

Por acaso

Muitas vezes as histórias chegam por acaso e inesperadamente. Um assunto alheio aos habituais interesses do escritor torna-se origem de uma história, embora isto somente aconteça com os que estão sempre antenados para perceber e utilizar o que lhes causa impacto.

O tema do acaso é constante na obra de Paul Auster, precisamente porque o acaso é um dos motores mais importantes da sua vida, como no momento em que teve a ideia de escrever o romance *Cidade de vidro*:

> Cerca de um ano após o rompimento de meu primeiro casamento, mudei-me para um apartamento no Brooklyn. Era início de 1980 e eu estava trabalhando em *O livro da memória* — bem como organizando uma antologia da poesia francesa do século XX para a Random House. Um dia, alguns meses depois que me mudei, o telefone tocou e a pessoa do outro lado da linha perguntou se era da Agência Pinkerton. Eu disse que não, que era engano e desliguei. Eu teria provavelmente esquecido o episódio, mas bem no dia seguinte outra pessoa telefonou fazendo a mesma pergunta: "É da Agência Pinkerton?". Novamente respondi que não, que tinha sido engano e desliguei. Mas, no instante após desligar, comecei a matutar sobre o que teria acontecido se eu tivesse dito sim. Eu teria conseguido posar de agente da Pinkerton? Em caso positivo, até onde conseguiria chegar? O livro brotou desses telefonemas, mas decorreu mais de um ano até eu realmente começar a escrevê-lo.*

Sugestão: Enquanto você estiver num período de gestação literária, preste atenção ao que acontece à sua volta, porque tudo pode tornar-se literatura.

TRABALHAR A IDEIA

Um plano de trabalho é o caminho certo para orientar a ideia inicial e fomentar o estilo.

São várias as tarefas a executar com a finalidade de levar a ideia para o papel ou para a tela do computador.

Em primeiro lugar, é preciso visualizar a ideia em sua totalidade e ampliá-la. Depois, delimitá-la, determinando o começo e o fim, os elementos que deve conter e os que serão descartados por não contribuírem em nada ou por desviarem sua atenção da história que você deseja contar.

Para tanto, é necessário passar pelas seguintes etapas, ao cabo das quais sua ideia inicial estará enriquecida e você saberá enxergá-la com maior clareza:

1. **Desenvolver** um esquema que contenha a ideia principal e as ideias afins.

   Exemplo de ideia principal a demonstrar:
   - *O amor verdadeiro de um casal perdura para além da morte de um dos dois.*

   Ideias afins:
   - *Nenhum amor é perfeito.*
   - *Nenhum amor é completo.*
   - *A felicidade dura alguns instantes.*
   - *O verdadeiro amor independe da imaginação.*
   - *O sofrimento pode fazer parte do prazer.*
   - *O amor verdadeiro envolve sacrifícios.*
   - *Quando um dos dois morre, aquele que fica procura dedicar seu amor a outras pessoas até encontrar alguém que o satisfaça.*

2. **Comparar** a ideia principal com outras semelhantes.

   Exemplo:
   - *A amizade verdadeira perdura para além da morte.*
   - *Comparar o amor pelo marido ou pela esposa com o amor materno, o paterno, o filial.*

3. **Definir** o oposto da ideia principal.

   Exemplo:
   - *O amor verdadeiro de um casal não dura quando um dos dois morre, mas se transforma em outro tipo de sentimento.*

4. Com uma visão completa do esquema, é hora de **ampliar** o campo de trabalho. Trata-se de reunir informações concretas sobre cada um dos pontos desse esquema.

5. **Organizar** o material disponível de acordo com um objetivo, segundo o qual os dados imprescindíveis serão escolhidos, e os demais eliminados. A escolha pode ser orientada pelo tema: a ideia subjacente ao relato, ampliada como tema, precisa de informações que lhe deem fundamento, e de outras não.

6. **Dividir** a ideia em episódios. Ao organizar o esquema de ideias, comprova-se que cada uma delas não é um bloco indivisível, mas está composto de inúmeros fios que devem ser detalhados tendo em vista conjuntos que vão constituir cada episódio. Comprova-se também que alguns desses fios são descartáveis, mas outros poderão ser multiplicados, ampliados e expandidos.
   Assim que você tiver reunido o material pertinente, poderá dividi-lo em episódios específicos.

7. **Escrever**. A tarefa básica do contista e do romancista é inventar uma mentira e dar-lhe uma forma literária, para que a mentira se torne convincente. Com elementos reais, inventa um mundo irreal, mas crível. Escrever é organizar os episódios da história, conferindo ao relato coerência e unidade.

8. **Manter** o controle, algo que se impõe assim que você tiver clareza sobre o seu projeto e começar a escrever. Consiste em perguntar a si mesmo se o material escolhido tem coerência interna e se, embora vagamente, o seu texto lembra romances ou contos já existentes. É de grande ajuda neste momento recorrer a um questionário como este:
   a. Os parágrafos se enlaçam naturalmente uns com os outros?
   b. A ideia se desenvolve à medida que a narrativa avança?
   c. Estou acrescentando informações novas?
   d. Estou repetindo alguma informação sem necessidade?
   e. Percebo que o material reunido lembra algum romance conhecido?
   f. Em que aspectos?
   g. Como posso afastar-me desse romance e respeitar a minha própria ideia, empregando outros meios de trabalhar?

Realizado esse controle e tendo filtrado o que for necessário, você poderá dedicar-se de corpo e alma a escrever, a traçar o caminho do seu protagonista (porta-voz da ideia principal) e dos demais personagens, escolhendo, da história que você tem em mente, o momento que será o início efetivo do romance.

E, de modo especial, você determinará de que forma levará seu romance até o fim.

Agora que você já sabe o que fazer é preciso cuidar do modo como irá trabalhar: a história será contada de um modo mais ou menos reflexivo, haverá muitas descrições, diálogos, que tipo de ação, com muitos efeitos surpreendentes, com frases bem curtas, fazendo uma escolha equilibrada entre algumas destas possibilidades ou outras, etc.

> Se uma ideia for planejada com a maior exatidão possível, o objetivo estará sempre diante dos nossos olhos, e escrever será uma tarefa menos complicada do que seria na ausência de um planejamento.

A DIFICULDADE MAIS COMUM

"O que acontecerá agora?" — esta é a pergunta que surge no meio do caminho, mesmo que exista um esquema completo. Mas é exatamente o esquema que ajudará você a superar esse tipo de dificuldade, pois ele indica o rumo dos acontecimentos.

A pergunta, a dúvida, aparece quando já se começou a escrever. Novas ideias costumam surgir à medida que o trabalho progride, decorrentes da ideia principal, e não se sabe bem que acontecimento escolher entre os que sobrevêm à mente.

Se isso ocorrer, deixe seu pensamento fluir, não se force a resolver o problema imediatamente. Continue escrevendo e procure "ver" seus personagens em ação. Recorra, então, ao esquema e escolha a situação que melhor corresponda às exigências do que foi planejado. Se não se sentir à vontade para tomar uma decisão, abandone o texto por um tempo até que o seu pensamento reencontre o fio da meada e você descubra a melhor saída.

PARAR E DELINEAR

Um objetivo essencial ao se escrever uma história é procurar perspectivas não mediadas pelos hábitos sociais, pelas condutas estereotipadas ou pelas convenções existentes no próprio campo literário que, pelo uso excessivo, perderam a eficácia.

Percebemos com frequência a repetição de lugares-comuns nos textos dos escritores principiantes (*seus olhos são como duas jabuticabas, aquelas sobrancelhas arqueadas, ela é morena cor de jambo, a luxuosa mansão...*). É bem possível que esses chavões sejam causados pela ausência de uma definição prévia dos elementos principais do relato e de um planejamento sobre o melhor modo de desenvolvê-los.

Para manter-se na linha de seu argumento inicial é bom confeccionar um roteiro, cuja função será estabelecer as características próprias do mundo narrado, permitindo que você verifique se há ou não indesejáveis estereótipos. Um roteiro como este:

a. Os personagens (cada indivíduo e o grupo):
Aspecto físico e situação psíquica.
Atitude: estática - dinâmica.
Sua apresentação: nomes - retrato - ações - diálogos - reflexões, etc.

b. Os objetos: Tipo, quantidade.
Características: animados - inanimados - concretos - abstratos - estáticos - em movimento.

c. Os sentimentos (pessoais - coletivos):
Tipos predominantes: desejos - carências - emoções - impulsos - hábitos - inquietações.

d. O tempo: Físico - mental. Clima - horário. Tempo vital.

2.

Modos de planejar um relato

O ofício narrativo consiste, sobretudo, em trabalhar a história a partir da versão própria e única do autor.

O escritor é um construtor. Por algum motivo, escolhe um argumento e não outro. Em geral, sua escolha depende do tema que esse argumento propõe e que procede da experiência emocional do autor. Se o escritor constrói com suficiente perícia, faz o leitor emocionar-se também.

O escritor e jornalista espanhol Manuel Vázquez Montalbán dizia:

> Todo escritor se inspira na realidade, mas o fato é que o jogo literário é essencialmente irrealidade. Porque os escritores vivem e contemplam a vida como todo mundo, mas logo em seguida oferecem uma realidade alternativa, reconstruída com palavras. As pessoas normais têm uma relação direta com o real, confrontam-se com ele e vão trabalhar como operários, banqueiros ou militares... Já um escritor deixa a realidade de lado e organiza seus materiais com palavras com o intuito de oferecer uma realidade alternativa.*

Os materiais e os meios utilizados são os mais diversos. Se você analisar Emma, a protagonista de *Madame Bovary*, de Gustave Flaubert, descobrirá uma personagem que expressa as emoções com todo seu coração. Se analisar Meursault, o protagonista de *O estrangeiro*, de Albert Camus, entrará em contato com um personagem totalmente diferente, ao que tudo indica desprovido de sentimentos.

Contudo, os fins atingidos são os mesmos: comover e mobilizar, porque, certamente, Flaubert e Camus escreveram a partir de suas convicções, necessidades e emoções.

O CICLO NARRATIVO

Uma história desenvolve-se geralmente em três fases, nem sempre imprescindíveis no desenvolvimento do texto, mas que valem a pena se ter em mente.

Estas fases são: a possibilidade do acontecimento, a realização e o resultado (segundo Roland Barthes).

Exemplo:

1. A possibilidade do acontecimento:
   - *Marina quer ser milionária.*

2. As alternativas para a realização:
   a. Marina se casa com um magnata do petróleo. (Realização 1.)
   b. Marina ganha uma fortuna no bingo. (Realização 2.)
   c. Marina assalta um banco. (Realização 3.)
   d. Marina sonha ser milionária, mas nada faz para conquistar esse sonho. (Não realização.)

   Em *d*, o ciclo narrativo termina.
   Em *a*, *b* e *c* começa a terceira fase ou o resultado.

3. O resultado:

- *Correspondente à realização 1:*
  Marina tem muito dinheiro. (Conclusão típica do romance água com açúcar.)
- *Correspondente à realização 2:*
  Marina perde o dinheiro dentro de um táxi. (Conclusão aberta a diferentes possibilidades: inicia-se perseguição ao motorista de táxi, com uma série de desdobramentos posteriores / Marina entra em desespero e se suicida / o taxista devolve o dinheiro a Marina, ela volta ao bingo, perde todo o dinheiro, mas nasce desse encontro uma história de amor / etc.)
- *Correspondente à realização 3:*
  Marina vai presa. (Conclusão que permite desviar a história para uma nova ideia. Por exemplo: *Marina escreve um livro na prisão e, mais que ganhar dinheiro, quer transmitir suas profundas reflexões, dando início a uma vida de meditação.*)

Variante:

Uma segunda possibilidade é criar séries narrativas reunidas num mesmo ciclo, como uma espécie de sinopse do desenvolvimento futuro.

Cada série pode tornar-se um episódio ou uma cena principal de uma narrativa.

Exemplo de um ciclo completo, num parágrafo:

> Fernando organiza-se para uma viagem a Cartago, não encontra uma passagem de avião que o leve diretamente a esse destino, é forçado a fazer parte do trajeto num barco, vê um jacaré pela primeira vez na vida, fica entusiasmado, entra na selva com um grupo de aventureiros, começa um incêndio e precisam voltar atrás, Fernando fica numa aldeia por alguns dias à espera de que o incêndio seja apagado.

As séries narrativas:

a. Fernando organiza-se para uma viagem a Cartago,
b. não encontra uma passagem de avião que o leve diretamente a esse destino,
c. é forçado a fazer parte do trajeto num barco,
d. vê um jacaré pela primeira vez na vida,
e. fica entusiasmado,
f. entra na selva com um grupo de aventureiros,
g. começa um incêndio e precisam voltar atrás,
h. Fernando fica numa aldeia por alguns dias à espera de que o incêndio seja apagado.

As séries dos diferentes ciclos narrativos podem se misturar. Exemplo:

a. Marina assalta um banco.
b. Fernando está sacando dinheiro do banco para viajar e vê Marina sendo presa.
c. No banco, Fernando olha para Marina com interesse, e não conseguirá mais esquecê-la.
d. Fernando descobre onde Marina está presa e lhe escreve uma longa carta. Etc.

UM ROTEIRO ÚTIL

Quando o ciclo narrativo está sendo organizado, pode-se enfatizar algum aspecto da ideia original, deixando outros em segundo plano. De qualquer modo, todos esses aspectos dizem respeito às situações de avanço e retrocesso que os personagens viverão ao longo da história e poderão ser úteis para que você escreva a sua narrativa.

Segundo o semiólogo Claude Brémond, os momentos fundamentais de um relato clássico obedecem à seguinte ordem, que pode ser uma boa sugestão para você:

Avanço

- *O cumprimento da missão.*
- *A ajuda de aliados.*
- *A eliminação do adversário.*
- *A negociação.*
- *O ataque.*
- *A satisfação (castigo, vingança ou recompensa).*

Retrocesso

- *O tropeço (erro, falha, crime).*
- *A criação de um dever.*
- *O sacrifício.*
- *O ataque sofrido.*
- *O castigo recebido.*

Quando você acrescentar ou intercalar um episódio à sua história, poderá perguntar a si mesmo se isso supõe avanço ou retrocesso para os seus personagens: ao mudar o rumo de uma história, você provoca avanços ou retrocessos com relação à situação inicial, e é isso que determina o ritmo da narrativa.

ETAPAS DA CONSTRUÇÃO

A construção narrativa total abrange uma série de aspectos: argumento, trama, enredo.

O argumento é o resumo da história, o primeiro esboço do projeto do edifício. Seus diversos componentes podem ser comparados com a trama (que se apoia numa série de motivos temáticos, vinculados ao tema principal). A estruturação definitiva do edifício, em que se define cada parte do todo, seria o enredo.

1. A primeira etapa da construção consiste em saber o rumo da narrativa. Não é preciso conhecer o argumento em todos os seus detalhes. Você poderá fazer os ajustes necessários à medida que for escrevendo a história.

2. A segunda etapa da construção é identificar os pontos altos da narrativa. Se for um romance com vários capítulos, trata-se de destacar os momentos culminantes de cada um deles.

3. A terceira etapa consiste em decidir o ritmo da narrativa, encontrando um equilíbrio entre aceleração e desaceleração. A ação exige velocidade. As descrições supõem um ritmo mais lento. Também neste ponto entra em jogo a atmosfera, o clima da história.

4. Na quarta etapa, decide-se se a ênfase maior será dada aos personagens ou à ação. Você pode tomar essa decisão guiando-se pelo roteiro que nasce das etapas anteriores. A pergunta é esta: a ênfase recairá sobre as "pessoas" ou sobre os acontecimentos?

5. A última etapa corresponde à concretização da história, à disposição literária dos fatos narrados. Surgem aqui os fatores que tornam mais complexa a atuação do protagonista, anulando, dificultando ou desviando a realização de sua vontade, ou seja, mantendo vivo o conflito.

Para que a história se realize a contento, há uma condição fundamental: *unidade*. Unidade é o resultado da coesão e coerência entre todas as partes da narrativa. Por exemplo, se você faz uma demorada descrição da lua é de se esperar que a lua desempenhe um papel no conjunto da história.

APRESENTAÇÃO, NÓ DA NARRATIVA E DESENLACE

O conceito clássico de narrativa literária inclui uma apresentação, um clímax e um desenlace. Essas três partes compõem a obra como um todo e os seus microcosmos.

Seguindo a teoria de Aristóteles, no início de um relato apresentam-se uma situação e um personagem que anseia por algo positivo ou negativo (um objeto, uma mudança pessoal, realizar um desejo, escapar de uma ameaça ou fugir de uma lembrança). É o momento da intenção.

Num segundo momento, mostram-se todos os aspectos do conflito em que vive o protagonista. É o momento das peripécias.

No terceiro momento, o personagem alcança ou não aquilo que queria, vence ou é derrotado, continua em frente ou desaparece. Começa aqui o clímax, ponto de tensão máxima, do qual surgirá uma reviravolta na narrativa. Os dois momentos anteriores desembocam no desenlace.

Em muitas das atuais narrativas, a apresentação, o clímax e o desfecho não correspondem necessariamente ao começo, ao meio e ao fim da história em sua ordem cronológica e lógica. O que se vê com certa frequência é uma abertura impactante, um desenvolvimento nuclear e uma finalização eficaz, deixando no ar uma interrogação capaz de provocar no leitor — como queria Julio Cortázar — a sensação de que jamais seria a mesma pessoa depois de ter lido determinada história.

O esquema apresentado repousa sobre três a cinco ápices. Para cada um desses núcleos você poderá atribuir um nome que sintetize a ação determinante, facilitando-lhe a definição dos momentos fundamentais e insubstituíveis da sua história. Alguns exemplos: "assassinato / investigação / fuga"; "encontro / esperança / desencontro"; "amor à primeira vista / morte do ser amado / superação", etc.

Desenhar o esquema que contemple o possível equilíbrio entre as partes da história poderá servir como orientação durante o trabalho de escrever. Veja este exemplo:

	Núcleo central	Núcleo central	Núcleo central
Momentos insubstituíveis	Assassinato	Investigação	Fuga
Expansões	Enfrentamento Perseguição	Sucessão de erros	Desencontro Confusão

> Exponha um núcleo central expandido, prossiga com outro e finalize com outro, na ordem que você preferir.

FAZER UM ESQUEMA DE FUNÇÕES

Com base na análise de Vladimir Propp que, em 1928, estudou os contos russos e estabeleceu que em toda narrativa popular há sempre uma série de funções assumidas pelos personagens, você poderá adotar como estrutura da sua história a relação abaixo. É um estímulo, não uma receita, mas o ajudará a dar forma e sentido ao seu relato. Por exemplo, quando ele diz: "o lugar em que está", esse lugar não é necessariamente um lugar físico. Pode ser um lugar mental, de relação com outro personagem, etc. Em qualquer caso, as funções que você escolher serão úteis para avançar no caminho da sua narrativa, ajudando-o a centrar-se, a criar um ritmo de tensões e distensões, algo imprescindível num romance de suspense.

a. Definir o herói ou a heroína: quem ele(a) é?
b. Um desejo do herói: o que busca?
c. Conselhos ou avisos que o herói recebe, dados por outro personagem especial: quem é?
d. O lugar em que está: onde?
e. A saída ou a mudança de rumo: como tomou essa decisão?, aonde vai?
f. O encontro com alguém ou algo que será uma ajuda: com quem ou com o que será esse encontro?
g. Uma dificuldade, um obstáculo, uma ameaça: de que tipo?
h. Um lugar em que se chega: qual?
i. O antagonista: ocupa esse lugar?, quem é?
j. Fracasso do herói: como?
k. Ajuda do amigo: como?
l. Desenlace.

ELABORAR E PLANEJAR

Fazer anotações para a sua futura história escrita é um recurso que poderá enriquecê-la. Não somente aquelas anotações que ampliem o argumento, mas também reflexões sobre o modo como a história vai se desenvolver, a distância entre o narrador e a narrativa, etc. Ou seja, trata-se de elaborar e planejar a futura produção em seus mínimos detalhes.

O escritor John Irving passa de um a dois anos fazendo anotações antes de voltar-se para a criação de um novo romance. Não gosta de começar a trabalhar sem conhecer a história do princípio ao fim:

> Preciso saber quem serão os personagens principais, quando e onde eles se conhecerão pela primeira vez, quando e como seus caminhos voltarão a se cruzar. Tenho que conhecer o final de uma história antes de começar a imaginar um bom início para ela. Só me preocupo com o início da história quando já sei o final.
> A voz do narrador deve possuir autoridade e autenticidade. Os leitores esperam que o narrador tenha um grande conhecimento da história a ser contada. E como terá esse conhecimento se não souber os pormenores de tudo?
> Quando escrevo a primeira frase de um romance não quero continuar inventando mais nada. Ao iniciar o trabalho propriamente dito de compor o romance, praticamente toda a invenção já ficou

para trás. Procuro lembrar apenas aquilo que já imaginei, na ordem em que já selecionei os acontecimentos, e que vi ser a melhor para os leitores. Narrar consiste em saber tanto as informações que você deve guardar para si mesmo como as que você vai revelar.*

POR QUE UM DESENVOLVIMENTO, E NÃO OUTRO

Definir as razões que levam você a escrever uma história e não outra é condição importante para delinear a ideia principal que você quer sugerir em sua narrativa e para lhe dar a necessária coerência.

Neste sentido, você poderá formular algumas perguntas e, a partir das respostas que der, tirar as conclusões que lhe permitirão avançar na criação do mundo ficcional:

a. Que ideia quero enfatizar?
b. É uma ideia válida?
c. De qual personagem estou mais próximo?
d. Sempre o defenderei?
e. O que pretendo provocar na mente do meu leitor?
f. Posso despertar o interesse de um público amplo ou restrito?
g. Com que outras ideias posso estabelecer conexão?
h. É conveniente incorporar algumas dessas novas ideias à minha história?
i. Como fazê-lo?

Leve em consideração, no entanto, que em geral as melhores respostas surgem quando já estamos escrevendo a história.

> Tendo clareza com relação aos motivos que levam você a contar uma história, certifique-se de que os acontecimentos e seus personagens são realmente os mais adequados ou se você deverá substituí-los por outros.

COMO COMEÇA A HISTÓRIA ESCRITA

As primeiras linhas da história devem conquistar o leitor. É necessário criar o tom emocional logo no início da narrativa. Além disso, você não deve incluir muitas informações nesse primeiro momento, pois sobrecarregam o leitor, que não conseguirá assimilá-las, mas também não é recomendável trazer um número pequeno demais de dados, o que tornaria a narrativa pouco interessante e atraente.

Uma boa possibilidade é mostrar um conflito nos primeiros parágrafos ou sugerir que algo importante está prestes a acontecer.

O início dos contos tradicionais costuma apresentar um incidente que desencadeará o restante da história. Eis alguns exemplos:

- *Falta de dinheiro.*
- *Falta de um marido, de uma mulher ou de um filho.*
- *Falta de poder, de importância social.*
- *Falta de qualidades físicas, intelectuais ou morais.*
- *Falta de segurança, de liberdade ou de saúde.*
- *Falta de objetos auxiliares preciosos (como um objeto mágico).*

Em geral, trata-se de um conflito entre personagens ou do protagonista consigo mesmo; uma carência ou um contratempo põe em movimento os personagens.

Raramente as situações iniciais são felizes. Se há um estado de felicidade é porque em breve surgirá um obstáculo. É desta forma que se consegue criar a tensão desde as primeiras linhas. São numerosos os escritores de nosso tempo que recorrem a este esquema para organizar o enredo de um conto ou romance.

Exemplo:

Italo Calvino[2] (1923-1985) trabalha com os dois tipos de início:

1. Início em que há um contratempo, em *A aventura de uma banhista*:
   *Ao banhar-se na praia de ***, aconteceu à senhora Isotta Barbarino um desagradável contratempo. Nadava ao largo, quando, achando que era hora de voltar, virou-se para a praia e percebeu que ocorrera um fato irremediável. Havia perdido o maiô.*

2. Início que apresenta uma situação feliz, logo seguida por um conflito, em *A aventura de um míope*:
   Amilcare Carruga era ainda jovem, não desprovido de recursos, sem ambições materiais ou espirituais exageradas: nada o impedia, portanto, de gozar a vida. E, no entanto, reparou que de uns tempos para cá essa vida para ele andava, imperceptivelmente, perdendo o gosto.[3]

> Uma forma de você conseguir captar o interesse do leitor é iniciar sua história referindo-se a um momento dramático vivido pelo protagonista em vez de descrever primeiro o ambiente em que ele está ou o que aconteceu anteriormente àquele momento climático.

QUANDO A HISTÓRIA SE CONCLUI

O conto ou o romance não chegam a seu término quando você acaba de contar a história real ou a que você ouviu ou viveu. A história se conclui quando o leitor recebe todas as informações fundamentais e poderá surpreender-se, refletir e tirar suas próprias conclusões.

O final do relato deve solucionar todas as questões levantadas no início e no meio do texto. Portanto, não deve ser ilógico ou forçado, não deve produzir a sensação de algo colocado ali de maneira artificial.

Não recorra à morte dos personagens como fórmula fácil para o desenlace, a menos que esta morte seja consequência inevitável do enredo.

Ao se dar conta de qual será o desfecho mais adequado para a sua história, a construção poderá corresponder a qualquer uma das formas literárias que você conhece, como, entre outras, as que seguem:

1. Em diálogo.

   Exemplo:

   — A Rua do Esquecimento? *O meu roteiro? Você agora gosta dele?*

   — *O que me agrada nele é que foi a origem de tudo. Mas, de fato, é preciso incluir mais coisas ali.*

   — *Coisas de que tipo?*

   — *As que aconteceram de verdade. Até amanhã, doçura.*

   (Carmen Martín Gaite, *Sair de casa*)*

2. Apresentação do ambiente em que se encontram os personagens.

   Exemplo:

   Mesmo com o padre e a assassina ainda cochichando e bebericando, os salões do restaurante estavam vazios, M. Soulé havia se retirado. Só restavam a garota da chapelaria e alguns garçons impacientes, dobrando guardanapos. Os sommeliers *estavam pondo as mesas, arrumando as flores para a clientela noturna. Era uma atmosfera de exaustão luxuosa, como uma rosa em flor perdendo as pétalas, enquanto lá fora não havia nada além de uma tarde agonizante em Nova Iorque.*

   (Truman Capote, *Súplicas atendidas*)[4]

3. Ação.

Exemplo:

O Sr. José entrou na Conservatória, foi à secretária do chefe, abriu a gaveta onde o esperavam a lanterna e o fio de Ariadne. Atou uma ponta do fio ao tornozelo e avançou para a escuridão.

(José Saramago, *Todos os nomes*)**

> Não se esqueça de que um desenlace pouco provável ou um desfecho que não resolva nada e necessite de continuação empobrecerão ou destruirão uma história.

3.

Como trabalhar a trama

História e trama são termos de significados muito semelhantes. Alguns escritores e teóricos, quando se referem à história, estão pensando na trama, no enredo. Outros, quando se referem à trama, estão pensando na história, no argumento.

Quando identificamos os principais momentos de uma história e os esquematizamos, criando uma sinopse de imediata compreensão, percebemos com clareza a trama de um romance ou de um conto. A trama é uma história bem construída, cujas etapas e relações causais estão devidamente definidas. Contudo, milhões de tramas já se perderam por excesso de organização e detalhamentos. O escritor que tenta imitar a realidade em todos os seus pormenores (o personagem acorda, se levanta da cama, vai ao banheiro, toma o café da manhã, etc.) acaba fazendo um inventário maçante e inútil.

A intriga, na verdade, não significa que cada fato a ser narrado siga uma ordem rígida, mas envolve mudanças e evolução. Estão em jogo escolhas, harmonia e composição numa trama que não copie a realidade, mas destaque os aspectos inquietantes e comoventes de uma realidade arquitetonicamente construída. Ou seja, trata-se de uma unidade que estrutura e simplifica a ação, à margem de uma ordem causal absoluta. O que existe é certa desordem estética exigida pela dinâmica ficcional.

Em suma, trama não é explicação: é condensação.

> A construção da trama é tão importante quanto a construção dos personagens ou quanto o empenho que você faça para expressar seus próprios sentimentos. Descuidar da trama pode resultar num mero esboço de personagens ou num texto de prosa poética, mas não num romance ou num conto.

FORMAS DE NARRAR

Existem várias formas tradicionais de narrar que permitem ao escritor trabalhar a trama, construindo um bom enredo.

Uma delas é a forma direta, pela qual os acontecimentos vão se sucedendo diante do leitor, e os personagens vão se definindo à medida que esses acontecimentos são narrados. Há uma sequência de cenas.

Outra é a forma indireta, na qual o narrador atua como intermediário entre as reações dos personagens, suas circunstâncias e ações e o leitor. Há resumo e descrição.

Combinando cena, resumo e descrição, você estabelecerá o ritmo de sua história.

POR QUE AS CENAS?

A cena é uma parte da narrativa na qual o narrador permanece na sombra. Cabe aos personagens apresentarem o espetáculo. Em geral, a cena é uma ação falada, os personagens atuam e se expressam por si mesmos. Os diálogos breves e incisivos contribuem para um dramatismo mais intenso, dando mais força à cena. É possível tanto descrever com detalhes os gestos dos interlocutores, a exemplo de Henry James, quanto não fazê-lo, a exemplo de Ernest Hemingway.

Como recurso de composição, a cena põe o leitor no centro da ação dramática, fazendo-o assistir aos fatos.

Seus limites são precisos, constituem uma sequência completa e identificável dentro do enredo, correspondem à unidade de tempo, ação e lugar.

Quando você pode empregar o expediente de uma cena?

As principais finalidades são estas:

a. Criar um incidente crucial ou um momento culminante: um episódio completo, em que o narrador pode ou não intervir para fazer alguns esclarecimentos. O episódio pode apresentar uma crise, um conflito, uma exposição de intenções, a busca de um objetivo, certos estratagemas.
b. Indicar um pequeno incidente: um ato breve mas significativo como pano de fundo ou como ênfase a determinada ação.
c. Fazer o leitor acreditar que um fragmento da vida está se reproduzindo imaginariamente.
d. "Mostrar" como o episódio ocorre.
e. Transferir para os personagens da história a responsabilidade pela narrativa.
f. Dar a impressão de uma ação presente contínua.

Cada cena completa destaca um momento da narrativa. Procure visualizar as cenas enquanto você escreve, como se estivesse assistindo a um filme dentro de sua mente.

O RESUMO

O resumo é uma síntese panorâmica da narrativa, em que se enfatizam as informações referentes aos personagens e suas relações, num ambiente determinado e num momento preciso. Ao ser utilizado, o resumo permite:

a. Condensar o tempo transcorrido numa só frase ou num conjunto de sentenças (*duas semanas se passaram*, *um ano depois*...) para construir uma ponte entre dois momentos.
b. Fornecer informações para que o leitor entenda a história.
c. Resumir parte da história para que o leitor capte as razões que movem os personagens e as relações existentes entre eles.
d. Sugerir, a partir das informações apresentadas, as mudanças experimentadas pelos personagens ao longo do relato.

A AÇÃO

A ação é um mecanismo da cena, gera mudanças, transformações, em comparação com a descrição, que implica continuidade e duração. A ação é parte da trama e está unida ao conflito.

Constitui-se a ação de uma série de incidentes protagonizados pelos personagens, que se tornam, assim, motor da ação narrativa. Sua principal função é manter o leitor atento e interessado.

Uma história de aventuras requer um ritmo ágil e rápido: os fatos se encadearão uns aos outros, sem a necessidade de descrever com profundidade os elementos ou as circunstâncias da história. O resumo e a cena ganham espaço. A descrição escasseia. O ritmo da narrativa será ágil.

Num romance ou num conto psicológico, em que os fatos são poucos e bem analisados, predominam, em geral, a descrição e a cena. O resumo será pouco empregado. O ritmo da narrativa será lento.

Exemplo:

Era um menino animado, roliço, de olhos negros, com cabelo abundante, lustroso e revolto, sorriso na boca, queixo redondo e dentes saudáveis. Parecia ter cerca de doze anos de idade e vestia-se como os filhos de pessoas ricas.

Trazia pela mão uma menina pobre, muito mais baixa do que ele, magrinha, pálida, o nariz aquilino, os cabelos puxando para o ruivo, o cenho franzido e olhar corajoso.

(Jose Maria de Pereda, *Vara de pescar*)*

O RECURSO ÀS UNIDADES

Na narrativa clássica, eram valorizadas as unidades de tempo, ação e lugar, que você pode retomar como fórmula para atingir a necessária coesão da história.

A ideia é compreender que cada elemento da história corresponde a uma unidade e que todos os elementos se apoiam mutuamente, permitindo-nos condensar, dosar a informação, não dar mais informações do que o necessário e oferecer as pertinentes.

"Em meus anos de aprendizado eu era contrário às unidades (pareciam obstáculos à liberdade, mas com certa surpresa fui percebendo que as histórias mais ajustadas e contidas realizam-se melhor)" — afirma Adolfo Bioy Casares. "As palavras 'contenção', 'tensão', 'intensidade' dizem tudo, e uma coisa leva à outra. Sobre a unidade de tempo direi que, por vezes, prevejo uma duração de um mês para determinada ação da história que estou para escrever. Quando, contudo, começo a detalhá-la melhor me dou conta de que se a ação durar apenas uma semana será mais intensa. Finalmente, quando eu a escrevo, chego a uma duração de cinco dias. Não há dúvida de que a ficção deve transcorrer no mais curto espaço de tempo possível. Bem sei, como leitor e escritor, que as histórias cuja ação não dura mais do que um dia geralmente possuem uma satisfatória vivacidade.

"Quando Robert Louis Stevenson não observa a unidade de lugar em *O morgado de Ballantrae*, um romance maravilhoso, o relato perde sua força. Enquanto as coisas estão acontecendo na Escócia, o leitor crê na história que está lendo, mas quando é preciso seguir um personagem que vai para as colônias, na América do Norte, a ação se dispersa e o leitor fica incrédulo e indiferente.

"A unidade de ação exclui episódios e personagens desnecessários e exige que tudo aconteça conforme o tema central. Claro que não precisamos ser exagerados. Uma ou outra digressão que diminua a pressão pode ser necessária para arejar um pouco as coisas... Para escrever, como para cozinhar, o discernimento é indispensável."

DESANUVIAR O CLIMA

A descrição (tema a ser abordado no próximo capítulo) e a reflexão (os pensamentos do personagem ou do narrador) são artifícios que ajudam a desanuviar o clima depois de uma passagem de ação intensa ou entre duas ações. Depois de uma passagem ativa, de ritmo veloz, você pode recorrer a essas formas como um descanso antes de retomar a ação, ou não.

Exemplo:

a. Ação + descrição + ação:

Com as entradas para os Lunts no bolso, tomei um táxi para o parque. Devia ter apanhado o metrô ou coisa parecida, porque estava começando a ficar curto de dinheiro, mas queria dar o fora da droga da Broadway o mais rápido possível. (Ação)

Estava horrível no parque. O frio até que não era de matar, mas o sol não tinha saído ainda, e não parecia haver nada no parque a não ser bosta de cachorro e poças de cuspe e pontas de charutos dos velhos, e todos os bancos onde a gente ia sentar pareciam molhados. Além de deprimente, de vez em quando — e sem o menor motivo — a gente ficava todo arrepiado. Nem parecia que estava tão próximo do Natal. Não parecia que estava próximo de coisa nenhuma. (Descrição)

Continuei a andar na direção da pista de patinação, que é onde a Phoebe costumava ficar. Ela gosta de patinar perto do coreto. Engraçado. É o mesmo lugar onde eu também gostava de patinar quando era garoto.
Mas neca de Phoebe quando cheguei lá. Havia uns meninos patinando e tudo, e dois deles jogavam bola, mas nada da Phoebe. (Ação)
(J. D. Salinger, *O apanhador no campo de centeio*)[5]

b. Ação + reflexão:

Dmitri Fiódorovitch retirou as mãos que apertavam a garganta de Fiênia. Estava postado diante dela pálido como um cadáver e mudo, mas por seu olhar dava para perceber que compreendera tudo de um estalo [...], até o último detalhe [...]. Fiênia cravara nele as pupilas de seus olhos assustados, imóveis e dilatadas pelo pavor. Para completar, ele ainda estava com as mãos manchadas de sangue. Talvez ao correr para lá as tivesse levado à testa para limpar o suor do rosto, o que deixara a face direita lambuzada por manchas vermelhas de sangue. (Ação)

Dmitri Fiódorovitch [...] arriou maquinalmente numa cadeira ao lado de Fiênia. Ficou ali sentado, não propriamente refletindo mas com um jeito assustado, como alguém tomado de certo pasmo.

Tudo, porém, estava claro como o dia: esse oficial — ele sabia de sua existência, e sabia perfeitamente de tudo, ficara sabendo através da própria Grúchenka, sabia que um mês antes ele enviara uma carta [...]. *Mas como pôde, como ele pôde não pensar no outro?*
Mas súbito ele começou a conversar com Fiênia em voz serena e dócil, como uma criança serena e carinhosa [...]. (Reflexão)
(Fiódor Dostoiévski, *Os irmãos Karamázov*)[6]

> Na narrativa, predominam os verbos. Na descrição, os substantivos, os adjetivos e os advérbios.

UMA PROPOSTA

Para aprender a dosar o uso da descrição e da ação numa história, você pode recorrer a uma lista de objetos e ações condizentes com a trama imaginada, a partir dos quais realizará o jogo narrativo entre descrição e ação.

Tal lista poderia ter os seguintes elementos, permitindo inúmeras variações:

Descrição (transportes)	Descrição(roupas)	Ações
Automóvel	Meias	Arrastar
Trem	Brincos	Imitar
Avião	Gravata	Sonhar
Barco	Camisola	Atravessar
Bicicleta	Fraque	Dominar
Triciclo	Sutiã	Pular
Motocicleta	Calças jeans	Perseguir
Submarino	Agasalho esportivo	Beijar
Ônibus	Bolsa	Dissimular
Trenó	Óculos	Olhar
Balsa	Lenço	Provar

Escreva histórias curtas utilizando os seguintes esquemas:

- *descrição / ação / descrição / ação*
- *ação / descrição / ação*
- *descrição / ação / descrição*

> É necessário incorporar os detalhes descritivos ou de ação para que o leitor compreenda a história. Se faltam informações essenciais como, por exemplo, se houver uma ação num recinto fechado mas o narrador não descreveu esse recinto,

a escrita poderá se tornar pouco "visível". Ao mesmo tempo, se houver detalhes que não se relacionam especificamente com o enredo, é bem provável que a história fique interrompida ou se dilua, fazendo o leitor se dispersar e perder o interesse pela narrativa.

DIFERENTES TRATAMENTOS NARRATIVOS NA MESMA HISTÓRIA

Todo romance — e um bom número de contos — abrange vários modos de narração (descrição de ambientes, ação, diálogos e monólogos, reflexões do narrador, etc.), partes diferentes entre si, mas que devem estar muito bem articuladas, graças a uma escolha coerente com o momento narrado e com o estilo do autor. A ligação entre essas partes, porém, costuma ficar invisível.

Oito dessas variantes, trabalhadas de acordo com as necessidades da história, podem ser observadas numa passagem do capítulo quatro de *O vermelho e o negro*, de Stendhal[7]:

1. Descrição do lugar:
   Uma serraria movida a água se compõe de um galpão à beira de um riacho. O telhado é sustentado por uma viga assentada sobre quatro grandes pilares de madeira. A oito ou dez pés de altura, no meio do galpão, avista-se uma serra que sobe e desce, enquanto um mecanismo muito simples empurra contra ela uma tora de madeira. É uma roda posta em movimento pelo riacho que faz funcionar esse duplo mecanismo, o da serra que sobe e desce e o que empurra suavemente a tora para a serra que a transforma em tábuas.

2. Narração principal da ação:
   Aproximando-se da usina, o pai Sorel chamou Julien com seu vozeirão; ninguém respondeu. Só viu os filhos mais velhos, espécie de gigantes que, armados de pesados machados, talhavam os troncos de pinheiro que levariam à serraria. Concentrados em seguir com exatidão a marca preta traçada na tora de madeira, a cada golpe de machado arrancavam-lhe lascas enormes. Não ouviram a voz do pai. Este se dirigiu ao galpão; ali entrando, em vão procurou Julien no lugar onde ele deveria estar, ao lado da serra. Avistou-o cinco ou seis pés acima, a cavalo numa das vigas do telhado.

Em vez de vigiar atentamente a ação de todo o mecanismo, Julien lia. Nada era mais antipático ao velho Sorel; talvez tivesse perdoado a Julien o porte esbelto, pouco apropriado ao trabalho pesado e tão diferente daquele dos irmãos mais velhos, porém a mania de leitura lhe era odiosa: ele mesmo não sabia ler.

3. Situação particular de ação com dois personagens:
   De nada adiantou chamar Julien duas ou três vezes. A atenção que o rapaz dava ao livro, bem mais que o barulho da serra, impedia-o de ouvir a voz terrível do pai. Finalmente, apesar da idade, este pulou com agilidade sobre a árvore submetida à ação da serra e daí para a viga transversal que sustentava o telhado. Um golpe violento fez cair no riacho o livro que Julien segurava; um segundo golpe tão violento quanto o primeiro, dado na cabeça em forma de cascudo, o fez perder o equilíbrio. Despencaria de doze ou quinze pés de altura em meio às alavancas da máquina em ação, que o teriam arrebentado, mas o pai o reteve com a mão esquerda quando ia cair.

4. Diálogo sem resposta (broncas do pai):
   — Pois bem, preguiçoso! Vai continuar a ler esses malditos livros enquanto está de guarda na serraria? Leia de noite, quando vai perder seu tempo na casa do cura, isso sim.

5. Situação emotiva individual (reação de Julien):
   Julien, embora atordoado pela força do golpe e todo ofendido, aproximou-se de seu posto oficial, ao lado da serra. Tinha lágrimas nos olhos, menos por causa da dor física do que pela perda de um livro que adorava.

6. Diálogo sem resposta (chamada do pai):
   — Desça daí, animal, quero falar com você.

7. Ação específica:
   O barulho da máquina outra vez impediu Julien de ouvir a ordem. O pai, que havia descido, não querendo se dar ao trabalho de escalar novamente o mecanismo, foi buscar uma comprida vara de derrubar nozes e com ela bateu-lhe no ombro. Mal Julien chegou ao chão e o velho Sorel, enxotando-o rudemente à sua frente, empurrou-o na direção de casa.

8. Monólogo:
"Sabe Deus o que vai fazer comigo!", pensava o rapaz. De passagem, olhou tristemente o riacho onde caíra o livro; era de todos o que mais prezava, o Memorial de Santa Helena.

> Leia atentamente diferentes tipos de romances para conhecer o maior número de variantes. Verifique como um texto narrativo é composto de diversos elementos heterogêneos, configurados numa unidade que, quanto mais perfeita, menos visível estará numa leitura comum.

O MESMO ARGUMENTO TRATADO DE DIFERENTES MODOS

Um argumento pode receber diferentes tratamentos. Pode transformar-se numa história do gênero fantástico, ou num relato sentimental, ou num conto metafísico, ou de terror, etc. Além disso, você pode também mudar o enfoque, o tom, o formato, a intenção. Portanto, antes de decidir qual será a construção definitiva de sua história, experimente várias possibilidades até encontrar a que considere mais adequada.

Exemplo:

O argumento (ainda sem um desfecho) pode ser o seguinte:

Uma mulher está num bar e, ouvindo a conversa da mesa ao lado, descobre que o marido de sua melhor amiga a está traindo.

Várias formas de contar

1. Tom exaltado.
Fiquei chocada ao escutar aquilo! Corri. Peguei o telefone. Liguei para a minha amiga. Mas não tive coragem de lhe contar!

2. Monólogo interior.
O que eles estão dizendo? Meu Deus, é sobre o marido da minha amiga... O que farei agora?... Aquele mulherengo... até comigo ele já andou se insinuando...

3. Carta.
Roberto,
Acabo de tomar conhecimento que você é amigo (ou mais do que isso...) de uma tal de Clotilde. Não me atrevo a falar com você pessoalmente, e por isso envio este bilhete. O que você pretende fazer? Não quero que minha amiga sofra.

4. Roteiro cinematográfico.
Sara está esperando alguém. O bar encontra-se quase vazio, e ela está numa mesa perto da parede. Atrás dela, dois homens conversam a respeito de um terceiro. Alguns dados soam familiares para Sara. Ela tenta se concentrar, enquanto toma uma cerveja. Olhando-se num espelho para maquiagem, inclina-se para ouvir melhor. Passa o batom mais vezes do que o comum. Eles estão falando sobre dois conhecidos seus. Ela não tem mais dúvida: o marido de sua melhor amiga está saindo com uma amante. Recolhe dados da amante. Desiste do encontro com a pessoa que estava esperando. Paga a conta e vai embora.

> Sabendo como organizar, hierarquizar e elaborar por escrito o seu argumento, você deve verificar se o tratamento escolhido é o melhor.

4.

Saber descrever cenários e atores

A descrição é a apresentação dos personagens e das coisas (paisagens, objetos, ambientes, locais...) presentes na história narrada. São importantes para que se saiba quem é e onde está um certo personagem. Longe de ser acréscimo meramente decorativo e circunstancial, é determinante para o conjunto da narrativa.

Tal descrição pode ser realizada por um personagem que observa e transmite o que vê, seja ele um espião, um *voyeur*, um bisbilhoteiro, um fotógrafo, entre outros. Descrever pode ser explicar, detalhar, resumir, especificar, definir, divulgar.

DESCREVE-SE PARA CONTAR

De que forma você conseguirá mostrar um personagem, um local, um objeto como se o leitor os tivesse diante dos próprios olhos?

André Malraux salientou, a propósito da obra de Honoré de Balzac, que, quanto mais longas são as descrições, menos o leitor "vê". No entanto, o mais importante é a visão e os sentimentos do personagem:

Em primeiro lugar, a descrição traz informações que ampliam o campo da narrativa.

Em segundo lugar, a descrição confere um ritmo à história. Permite que você crie uma sensação de lentidão ou de rapidez.

Dependendo das exigências da sua história, você pode trabalhar a descrição de um personagem — através do retrato, captando os aspectos físicos e demais características do personagem, ou pela etopeia, focalizando o temperamento, o caráter, as paixões —, de um objeto, de um sentimento ou de um local.

Exemplo:

1. Retrato:
   Merlo chega pontualmente à hora conhecida por todos. Veste-se com uma roupa de brim, de cor bege; alpargatas. Entra com sua jaqueta desabotoada, o pescoço à mostra. Assoma-se pela abertura da camisa, negro, chamejante e ziguezagueante, um chumaço de pelos, porque o advogado é homem com cabelo no peito. O chapéu de palha numa das mãos, e, na outra, um leque de taboa, semelhante a um abanador para avivar o fogo, com o qual refresca o rosto suado. É mais baixo do que alto, um tanto ou quanto barrigudo, a tez de um moreno retinto, bigode ameaçando a Deus e aos homens, os dentes iguais e brancos, os olhos querendo abrasar as almas femininas.
   (Ramón Pérez de Ayala, *Próspero Merlo*)*

2. Etopeia (retrato que enfatiza o temperamento, o caráter e as paixões do personagem):
   [*Don Fermín de Pas*] *não renunciava à ideia de subir, de atingir o ponto mais alto possível, mas a cada dia pensava menos nas vaguezas da ambição de longo prazo, próprias da juventude. Chegara aos trinta e cinco anos, e a cobiça do poder era mais forte e menos idealista; contentava-se com menos, embora o desejasse com mais força e o quisesse mais próximo; era o homem que não sabe esperar, cuja sede é aquela que, no deserto, queima e se satisfaz no charco impuro sem aguardar a descoberta da fonte que se encontra distante, num lugar desconhecido.*
   (Leopoldo Alas, *A mulher do regente*)*

3. Um objeto:
   Às vezes, o antigo instrumento para, tem acessos de asma; às vezes a voz sussurrada de um marinheiro o acompanha; às vezes é a onda que sobe pelos degraus da escada do cais e se retira, murmurando alto como um trovão, e este som abafa as notas do acordeão e da voz humana; mas depois são ouvidas de novo e fazem seus conhecidos giros no ar, preenchendo o silêncio de uma tarde de feriado, suave e triste.
   (Pío Baroja, *Elogio do acordeão*)*

4. Um sentimento:
   Já não percebe dentro de si outra tristeza senão aquela que, com o medo, é comum sentirem os que acabam de chegar a um lugar estranho. Pouco a pouco o medo cresce, como o nível de água de um grande charco que tira a segurança das pernas e, por vezes, afoga o coração. [...] Vira a cabeça em direção à estação. Sente o coração se alargar, em seu coração nasceu alguma coisa até então desconhecida. E pensa nas raízes amarelas das humildes plantas dos caminhos de sua terra.
   (Ignacio Aldecoa, *O coração e outros frutos amargos*)*

5. Um lugar:
   A casa, de tijolo, e coberta com um telhado plano, com um beiral de alguns pés, produzia na paisagem um efeito encantador de ver. Compunha-se de um pavimento térreo e de um primeiro andar de porta e venezianas pintadas de verde. Com exposição ao sul, não tinha nem largura suficiente, nem suficiente profundidade para ter

outras aberturas além das da fachada, cuja elegância rústica consistia numa extrema limpeza. Segundo a moda alemã, a saliência das cornijas era forrada de tábuas pintadas de branco. Algumas acácias floridas e outras árvores odoríferas, espinheiros rosados, trepadeiras, uma grande nogueira que fora poupada, e, ademais, alguns salgueiros chorões plantados nos regatos, erguiam-se em torno da casa. Por trás havia um grande grupo de faias e de pinheiros, amplo fundo escuro sobre o qual se destacava vivamente aquela bonita construção.

(Honoré de Balzac, *O médico rural*)[8]

> Não recorra ao inventário; ao fazer suas descrições, selecione dados significativos que insinuem algo não explícito na narrativa.

CRIAR UMA ATMOSFERA

Não se deve explicar ao leitor como é um lugar ou quais são os traços de um personagem enquanto o personagem estiver à margem como simples espectador. Justifica-se descrever o clima reinante, por exemplo, quando esse clima afeta o personagem, e não porque o escritor decidiu fazê-lo sem mais nem menos.

Para isso, o recurso mais simples é descrever através dos olhos e das emoções do próprio personagem. É assim que se cria uma atmosfera.

Exemplo:

Salisbury perdeu-se pelas ruas mal iluminadas, sem perceber o impetuoso vento que batia nas esquinas e levava em redemoinhos o lixo espalhado pela calçada, enquanto nuvens negras se acumulavam sob a lua doentiamente amarela. Nem mesmo a queda de algumas gotas de chuva em seu rosto tiraram-no de suas meditações, e só começou a pensar na conveniência de abrigar-se quando a tempestade de repente desabou sobre ele, em plena rua. Impulsionada pelo vento, a chuva caiu com violência sobre as pedras, assobiando no ar. Uma verdadeira torrente de água corria pelas ruas, formando riachos e acumulando-se em poças sobre os bueiros entupidos.

(Arthur Machen, *A luz interior*)*

> Não tente copiar a realidade, mas reorganizá-la no texto com senso estético. Descrever é fazer ver e não explicar. É preparar a apresentação dos fatos ou fazê-los compreensíveis mediante a descrição de alguns dos seus aspectos.

AS TÉCNICAS E O RITMO

Há várias técnicas de descrição literária que dão origem, por sua vez, a diferentes ritmos de narrativa. Como uma filmadora, aquilo que é captado pela visão do narrador condiciona a percepção do leitor. Entre as diversas técnicas de descrição, podemos destacar as seguintes:

1. De cima para baixo.
   Exemplo:
   No alto da escada há duas portas de cor marrom. No patamar, que mede apenas um metro quadrado, um vaso de cerâmica ocupa o canto. Em frente ao degrau mais baixo, um pequeno tapete azul. Ao pé da escada, um gato dorme.

2. De dentro para fora.
   Exemplo:
   A sala está repleta de objetos de cristal ocupando as prateleiras. O corredor está livre, poucos metros antes da porta da frente. Ao redor da casa, uma paisagem desértica, exceto ao cair da tarde, quando...

3. Do geral para o particular.
   Exemplo:
   A casa parece pertencer a um milionário. No entanto, é um conjunto de quarenta pequenos quartos para alugar, ocupados por duas ou três pessoas, chuveiro compartilhado, um banheiro nos fundos, onde há uma cama de ferro, duas cadeiras e um armário desmantelado, do qual assomava o laço de um chapéu.

4. Do particular para o geral.
   Exemplo:
   A primeira coisa que viu foi uma mancha, depois o rosto cheio, uma figura oval e inexpressiva, apoiada no respaldo do sofá à espera não se sabia do quê.

5. Do próximo para o distante.
   Exemplo:
   O pardal estava a meus pés e deu várias voltas até alçar voo. Era mais cinza do que os outros pardais. Seu trajeto até o ninho media cerca de vinte metros. Não era possível ver se alguém o esperava no ramo centenário.

6. Do distante para o próximo.
   Exemplo:
   O avião fez uma pirueta para além das nuvens. De repente, um rastro de fumaça começou a se aproximar, as pessoas gritavam. Um segundo depois e vários objetos espalhados estavam ao nosso redor, entre os quais uma mamadeira.

7. Do real para o imaginário.
   Exemplo:
   É um livro de capa negra, plastificada. Tem cem páginas e seis ilustrações. De uma dessas ilustrações saiu um velho de enormes orelhas que mexe os olhos como se tivesse dificuldades para adaptar-se à luz exterior.

8. A partir do imaginário ao real.
   Exemplo:
   Ela tem duas cabeças e duas bocas que falam ao mesmo tempo, ou ao menos assim me parece, até que a luz se acende e vejo uma mulher com um chapéu que imita o seu próprio rosto para criar a ilusão.

9. Topográfica.
   Trata-se da descrição de um objeto imóvel feita por um sujeito também parado.
   Exemplo:
   Estou sob o paraíso e nenhum vento sopra para esfriar a luz do meio-dia. A copa do paraíso é atravessada pela luz e sobre o livro e o caderno aberto com a frase incompleta, escrita com tinta azul, projetam-se círculos solares de diferentes tamanhos.
   (Juan José Saer, *Afresco portátil*)*

10. Cinematográfica.
   Descrição de um objeto em movimento.
   Exemplo:
   De vez em quando é bom contemplar a cancha daqui, daqui do alto.

[...] *Agora sopra um vento arisco e a escadaria de cimento é percorrida por copos de plástico, folhas de jornal, canhotos de ingressos, pequenas almofadas, bolas de papel. Redemoinhos quase fantasmagóricos dão a falsa impressão de que as escadas se mexem, rodam, bailam, golpeiam por fim o sol da tarde. Há pedaços de papéis que sobem as escadas e outros que se jogam no vazio.*
(Mario Benedetti, *O céspede*)*

11. Fotográfica.
São selecionados elementos muito específicos de um ambiente.
Exemplo:
Agora, a sombra da pilastra — a pilastra que sustenta o canto oeste do telhado — divide em duas partes iguais o ângulo correspondente ao terraço. Este terraço é uma grande varanda coberta que rodeia a casa por três dos seus lados...
(Alain Robbe-Grillet, *A persiana*)*

> A técnica topográfica permite descrever alguns detalhes; a cinematográfica permite descrever tudo e obter um efeito com vivacidade.

TORNE-SE UM GRANDE OBSERVADOR

O que diferencia os jogadores de xadrez experientes dos novatos, segundo os especialistas, é o modo como percebem o que se passa no tabuleiro. Calcula-se que um jogador de xadrez experiente tem um repertório de cinquenta mil jogadas, e é a partir desse conjunto que ele percebe novas jogadas e extrai a informação de que necessita. Um bom jogador de xadrez não é um pensador profundo, mas um grande observador.

Este também é o segredo para realizar a melhor descrição: recorrer à observação como atitude essencial, usando os cinco sentidos para uma percepção completa. Quantos mais aspectos você coletar, mais elementos terá para trabalhar a sua narrativa. A boa observação é a base da descrição.

Durante o processo de percepção, crie seu próprio esquema, enumerando os elementos de acordo com uma sequência, delimitando bem cada observação. Você pode ir do geral para o particular. Por exemplo: se você está observando um lugar, estabeleça primeiramente as características gerais e depois descreva os objetos, as pessoas, o momento, o clima dominante, respondendo a perguntas como estas:

a. Como é? (qualidade)
b. Como está? (posição)
c. Onde está? (situação)
d. Você pode ver animais, pessoas, carros? (complementos)
e. Que horas são? (tempo)
f. Que cores predominam? (atmosfera)
g. Que barulhos se escutam? (atmosfera)
h. Que cheiros se sentem? (atmosfera)
i. Lembre-se de que, concluído o questionário, você terá de escolher, do material observado, os elementos que lhe permitam fazer a narrativa programada, eliminando os dados desnecessários.

Se o lugar observado é *uma casa antiga, com uma sala dividida em duas partes por um arco, um quarto estreito e escuro, um banheiro sem espelho, uma cozinha com paredes caindo aos pedaços, cheiro de água sanitária*, cujos objetos são *uma mesa de pinho, cadeiras de plástico, um tapete sujo, com uma mancha vermelha, oito pratos de formatos desiguais, inúmeros copos, uma lata de lixo de metal, dois cinzeiros publicitários, uma gravura de Cristo, um relógio parado*, você poderá realizar várias escolhas que produzirão diferentes efeitos ou diferentes tipos de narrativa:

- *O quarto estreito e escuro, as cadeiras de plástico e os cinzeiros publicitários, o tapete com uma mancha vermelha, o relógio parado. (Narrativa policialesca)*
- *Uma sala dividida em duas partes por um arco, a mesa de pinho, os pratos de formatos desiguais, o cheiro de água sanitária. (Narrativa doméstica)*

> Escolha os dados adequados para o efeito que você pretende criar em sua história. Enfatize alguns aspectos, não mencionando outros. Façam-se algumas perguntas:
>
> **a)** O que pretendo mostrar?
> **b)** Por que preciso mostrar isso?
> **c)** Como devo mostrar?

5.

A voz que narra

Você é um autor, uma autora. Você escreve o livro. Narrador é a voz que fala no livro que você escreve. Eis uma diferença fundamental: o tipo de narrador condicionará o tipo de relato. Portanto, escolha o seu narrador, sabendo o que está fazendo e o porquê de sua escolha, e será mais fácil progredir em sua narrativa e tornar a história convincente.

Por exemplo, em *A volta do parafuso*, de Henry James, muitos leitores acreditam que o narrador é a preceptora. Outros opinam que o narrador é Douglas, mas o verdadeiro narrador é o sujeito que fala em primeira pessoa (às vezes no plural, às vezes no singular), que inclui em seu relato a voz de Douglas e a da preceptora. A voz em primeira pessoa com a qual se inicia *A volta do parafuso* e que não revela seu nome é o único narrador da história, um "eu" sem nome que apenas faz perguntas e se dedica a observar e escutar. Informa-nos essa voz como Douglas leu um texto que fora escrito por uma preceptora que ele, Douglas, conheceu e que morrera vinte anos antes.

O QUE FAZ O NARRADOR

O narrador exerce uma série de funções:

1. Narra a história.
2. Organiza os fatos numa determinada ordem e com um sentido.
3. É testemunha e informa sobre a veracidade dos fatos, sua procedência, as condições de seu aparecimento.
4. Cria um esquema de valores, um olhar sobre o mundo segundo uma certa perspectiva.
5. Expressa-se num certo tom de voz.
6. Estabelece uma relação com os personagens, em suas diversas dimensões.
7. Estabelece uma relação com os acontecimentos: participa como protagonista ou como testemunha, ou se mantém à margem de tudo, como um ser onisciente.

O NARRADOR PROTAGONISTA

Se o narrador é o protagonista, conta a sua história em primeira pessoa. É com ele que as coisas acontecem, é ele quem enfrenta as dificuldades, é ele quem faz a narrativa da sua própria história, atuando diretamente ou observando o que se passa. Estas são algumas formas que o narrador pode adotar:

1. Não conhece todos os acontecimentos. Sentimentaloide. É movido pela culpa.
Eu andava tão ruim de dinheiro que tinha me apresentado aos testes para aquele filme pornô dois dias antes e tinha ficado atônita ao ver quanta gente aspirava a um desses papéis sem diálogo, quer dizer, só com exclamações. Tinha ido até lá com o coração apertado e envergonhado, dizendo a mim mesma que minha filha precisava comer, que afinal não tinha nada de mais e que era improvável que alguém que me conhecesse fosse ver esse filme, embora eu saiba que todo mundo sempre acaba sabendo de tudo o que acontece. E não creio que um dia eu vá ser alguém, para que no futuro queiram me chantagear com meu passado. Aliás, motivos para isso já não faltam.

Ao ver aquelas filas na casa, nas escadas e na sala de espera (os testes, bem como a filmagem, eram feitos numa casa de três andares, na Torpedero Tucumán, naquelas bandas, não conheço bem), me deu medo de que não me escolhessem, quando até aquele instante meu verdadeiro temor havia sido o contrário e este outro a minha esperança: que não lhes parecesse bastante bonita ou bastante gostosa.
(Javier Marías, *Menos escrúpulos*)[9]

2. Protagonista grupal. Enganador. Necessita alterar os fatos, chamar a atenção. É movido pela agressividade.
Nós dois somos feios. Mas feios de uma feiura incomum. Ela tem uma das maçãs do rosto afundada. Desde os oito anos de idade, quando sofreu uma intervenção cirúrgica. Minha asquerosa cicatriz perto da boca veio de uma feroz queimadura, ocorrida no começo de minha adolescência.

Tampouco poderia alguém dizer que temos olhos cheios de ternura, essa espécie de faróis que nos justificassem; é com esse olhar que os horríveis, às vezes, conseguem aproximar-se da beleza. Não, de modo algum. Tanto os olhos dela como os meus são olhos repletos de ressentimento e refletem somente a pequena ou a nula resignação com que enfrentamos nosso infortúnio. E talvez tenha sido isso o que nos uniu. O verbo "unir" talvez não seja o mais adequado. Refiro-me ao ódio implacável que cada de um de nós sente pelo seu próprio rosto.
(Mario Benedetti, *A noite dos feios*)*

3. Voltado para o passado, analítico. Gosta de estender-se e explorar um tema com profundidade. É movido pela dúvida.
Já reparei muitas vezes que, depois de outorgar às personagens de meus romances algum elemento precioso do meu passado, ele acaba definhando no mundo artificial onde o acomodei de modo tão abrupto. Embora continue presente em meu espírito, seu calor pessoal, seu apelo retrospectivo se perdem e, a partir de então, ele passa a se identificar mais de perto com meu romance do que com minha existência passada, onde se guardava aparentemente tão a salvo da intrusão do artista. Em minha memória, casas já se esboroaram tão silenciosamente quanto nos antigos filmes mudos, e o retrato de minha velha governanta francesa, que encarreguei de cuidar de um menino num de meus livros, vem desbotando cada vez mais depressa, depois de ter sido engolfado pela descrição de uma infância sem qualquer relação com a minha. O homem em mim se revolta contra o ficcionista, e eis aqui minha tentativa desesperada de recuperar o que tiver restado da pobre Mademoiselle.
(Vladimir Nabokov, *Mademoiselle O*)[10]

4. Observador, desconfiado. Necessita de provas. É movido pela desconfiança.
Eu a vi quando estava na porta do jornal, encostado na parede, embaixo de uma placa com o nome de meu avô, Agustín Malabia, fundador. Viera trazer um artigo sobre a colheita ou sobre a limpeza das ruas de Santa María, uma dessas bobagens irresistíveis que meu pai chama de editoriais e que, uma vez impressas, tornam-se maciças, ventiladas apenas por cifras, pesando sensivelmente na terceira página, sempre acima e à esquerda.

Era um domingo de tarde úmido e quente no início do inverno. Ela vinha do porto ou da cidade com a bagagem leve de avião, envolta num casaco de peles que devia sufocá-la, passo a passo contra as paredes brilhantes, contra o céu aquoso e amarelado, um pouco rígida, desolada, como se a fossem aproximando de mim o entardecer, o rio, a valsa ofegando na praça da banda, as garotas que giravam aos pares em torno das árvores peladas.

Agora caminhava pelos lados do Berna, mais jovem, menor dentro do casaco solto, com uma curiosa agilidade nos pés que não era transmitida às pernas, que não alterava sua dureza de estátua de cidade.
(Juan Carlos Onetti, *O álbum*)[**]

O NARRADOR TESTEMUNHA

A testemunha intervém na história como observador. Narra o que vê ou escuta. Não conhece o passado nem o mundo interior dos personagens, a menos que eles próprios lhe contem algo. Eis algumas formas que este tipo de narrador pode adotar:

1. Testemunha que vive na pele de um personagem que está dentro da situação (George). Emprega a descrição como parte da narração.
   A porta da lanchonete Henry's abriu-se e entraram dois homens. Sentaram-se ao balcão [...]. *Escurecia lá fora. A luz da rua entrava pela janela* [...]. *Os dois saíram porta afora. Pela janela, George observou-os passarem sob a luz do poste e atravessarem a rua. Com seus sobretudos pequenos e chapéus-coco, pareciam uma dupla de comediantes. George voltou a entrar na cozinha pela porta vaivém e desamarrou Nick e o cozinheiro.* [...] *Lá fora, a luz do poste brilhava entre os galhos nus de uma árvore. Nick subiu a rua pelos trilhos dos bondes e, no poste seguinte, entrou numa rua lateral. A pensão de Hirsch era a terceira casa da rua.*
   (Ernest Hemingway, *Os assassinos*)*

2. Testemunha que explica a visão que os personagens têm da situação. Utiliza a interrogação e a dúvida.
   Exemplo:
   Os poucos passageiros nos vagões olharam para fora através do vidro e acharam estranho ver aquelas pessoas nas plataformas, se preparando para embarcar naquela hora da noite. O que as teria levado a sair de casa? Era uma hora em que as pessoas deviam estar pensando em ir para a cama. As cozinhas das casas do morro atrás da estação estavam limpas e arrumadas; os lava-louças já tinham terminado seus ciclos havia muito tempo, tudo estava no lugar. As pequenas luzes que permaneceram acesas à noite ardiam nos quartos das crianças.
   (Raymond Carver, *O trem*)[11]

3. Testemunha câmara. Registra e apresenta uma sequência de vida sem deixar nenhum sinal do autor, como se fosse a captação das imagens de um filme.
   Exemplo:
   A palma da mão direita, quando tombou sobre o leito, segurou-lhe a fronte e cobriu-lhe quase totalmente os olhos; afundou-se, de

manso, junto com a cabeça (o cotovelo deslizou para trás) até o nariz tocar a colcha; — o braço esquerdo pendeu, insensível, do lado do leito, descansando os nós dos dedos na asa do urinol [...]. (Laurence Sterne, *A vida e as opiniões do cavalheiro Tristram Shandy*)[12]

> Leve em conta que o protagonista ou a testemunha podem se expressar de múltiplas formas. Escolha a que melhor convier à sua história.

O NARRADOR ONISCIENTE

O narrador onisciente possui uma visão própria, distinta da do personagem. Faz uma apresentação fragmentada ou panorâmica da narrativa, sem a participação dos personagens.

Em geral, tem liberdade para entrar na mente de qualquer um dos personagens. Pode ter, porém, uma onisciência limitada e entrar na mente de um personagem apenas. Abaixo, algumas formas de atuar adotadas por este tipo de narrador:

Narrador onisciente clássico

Sabe tudo o que acontece, pode estar em vários lugares ao mesmo tempo. Penetra na mente dos personagens e sabe o que pensam e sentem. Interfere de modo ativo no relato, intromete-se, opina, faz comentários e julgamentos.

Exemplo:

"Mas, o que fazer? O que fazer?", dizia para si mesmo com desespero, e não encontrava resposta. [...] *"Ah, é terrível! Ai, ai, ai! É terrível!", repetia consigo mesmo Stiepan Arcáditch Oblónski, e nada conseguia imaginar. "*[...] *Ela estava satisfeita, interessada nas crianças, nos assuntos domésticos, como desejava.* [...] *Mas o que fazer, o quê?"* [...] *"Mais adiante, veremos", disse para si mesmo Stiepan Arcáditch.* [...] *Num relance, ela avaliou da cabeça aos pés sua figura cheia de frescor e de saúde. "Sim, está feliz e satisfeito!", pensou. "Mas e eu?! E essa benevolência repugnante, pela qual todos o adoram e o elogiam; odeio essa benevolência", pensou ela.* (Liev Tolstói, *Anna Kariênina*)[13]

Narrador invisível

Procura desaparecer da narrativa para que o relato siga por sua própria conta, como pretendia Flaubert. O autor deve ser percebido

em todas as partes e ao mesmo tempo em nenhuma. Embora penetre nos pensamentos dos personagens, não se intromete nem faz julgamentos, deixando que os próprios personagens se expressem.
Exemplo:
O sr. Rodolphe Boulanger tinha 34 anos; era de temperamento brutal e inteligência perspicaz, tendo convivido com muitas mulheres, assunto do qual, aliás, era um grande entendedor. Aquela ali lhe parecera bela; pensava nela e em seu marido.
— Acho que é muito tolo. Está sem dúvida cansada. As unhas dele são sujas, a barba é de três dias.
(Gustave Flaubert, *Madame Bovary*)[14]

Narrador limitado

Em *O beijo*, Anton Tchékhov inicia o relato como uma história grupal, apresentando várias pessoas. Mas logo a seguir concentra suas atenções em Ryabovich, e a onisciência limita-se então a este personagem.

Onisciência projetada por intermédio de um personagem individual

Ainda mais limitada será a onisciência quando se vivem os fatos por intermédio de uma terceira pessoa, que não é o narrador. Se assim fosse, o relato seria feito na primeira pessoa.
Exemplo:
Sentia-se louco, completamente louco; via sombras por toda parte. Deteve-se. Sob a luz de um poste estava vendo o fantasma de um gigante na mesma posição das estátuas jazentes dos sepulcros da catedral, a espada cingida a um lado e na bainha, a viseira do elmo levantada, as mãos unidas sobre o peito em atitude humilde e suplicante, como seria de se esperar num guerreiro morto e vencido em campo de batalha. A partir daquele momento não tinha mais noção do que era ou não real: as paredes das casas alongavam-se, diminuíam; pelos portões entravam e saíam sombras; o vento cantava, gemia, murmurava [...]. *Disposto a lutar custasse o que custasse contra aquela onda de sombras, de fantasmas, de coisas estranhas que estavam a ponto de destruí-lo, devorá-lo, apoiou-se num muro e aguardou.*
(Pío Baroja, *Caminho de perfeição*)*

DUAS MODALIDADES OPOSTAS DE NARRADOR

É importante distinguir narrador onisciente de testemunha.

O onisciente que tudo sabe e narra uma situação, prescindindo dos personagens, opõe-se à testemunha que conta o que vê, não sabe nada além do que observa, tem dúvidas e, durante a narrativa, realiza as suas investigações.

Vejamos dois exemplos:

Onisciente, sabe tudo

O barranco de Embajadores, que desce da Salitre, é hoje, em seu primeiro trecho, uma rua decente. Atravessa a Ronda e se converte em despenhadeiro, rodeado de casinholas que parecem feitas de cinza amassada. Depois se transforma numa série de monturos, forma intermediária entre a vivenda e a cloaca. Choças, barracos, construções que, imitando ao mesmo tempo o pombal e a pocilga, nasceram ao lado do declive.
(Benito Pérez Galdós, *A deserdada*)*

Testemunha que só sabe o que vê

Wallas está encostado no parapeito, à entrada da ponte. É um homem ainda jovem, alto, sereno, de feições regulares. Sua roupa e sua aparência de desocupado constituem um vago motivo de surpresa para os operários que andam apressados em direção ao porto: neste momento, neste lugar, parece absolutamente estranho uma pessoa não estar vestida para o trabalho, não estar numa bicicleta, não ter pressa; ninguém fica passeando a pé numa quarta-feira tão cedo, menos ainda neste bairro. Esta incongruência com relação ao local e à hora é algo chocante.
(Alain Robbe-Grillet, *As borrachas*)*

> Se você escolhe uma voz narrativa, respeite suas características e não queira que ela diga o que não pode saber; a primeira pessoa a perceber isso e abandonar a narrativa é o leitor.

DIÁLOGO

O diálogo é a comunicação entre os personagens através de suas próprias palavras, com ou sem anotações do narrador. É possivelmente uma das formas narrativas mais confiáveis para o leitor, se estiver bem construído.

Além disso, permite realçar as características dos personagens, revelar seu modo de ser, indicar seu estado emocional e o grau de relação entre eles. Num conto, em que há pouco espaço para definir psicologicamente um personagem, o diálogo pode ser suficiente. No romance, contribuirá para o dinamismo geral da narrativa. De qualquer modo, deve ser fluido e plausível.

Exemplo:

— *Tá certo. Tá certo. E daí? Por que é que você não fica quieto e se acalma?* — disse o homem grisalho. — [...] *Com certeza os três vão chegar aí dançando, a qualquer momento. No duro. Você conhece a Leona. Sei lá por que, mas eles todos ficam na maior alegria suburbana quando vêm a Nova York. Você sabe muito bem disso.*

— *É, eu sei. Eu sei. Mas sei lá.*

— *Claro que sabe. Usa a imaginação. Eles dois com certeza arrastaram a Joanie à força...*

— *Escuta. Ninguém precisa* arrastar *a Joanie pra lugar nenhum. Não me vem com essa estória de arrastar.*

(J. D. Salinger, *Nove estórias*)[15]

O que dizem e como dizem

Quando você faz seus personagens falarem deve levar em conta o que dizem e de que forma dizem.

O que dizem: dependendo do tema sobre o qual se manifestam e como o abordam, podemos deduzir sua personalidade, suas manias, etc.

Como dizem: dependendo do modo como cada personagem se expressa, o diálogo poderá indicar — oferecer indícios, pistas — de diferentes aspectos ligados a ele. Os principais são: o geracional (a que geração pertence o personagem), o social e cultural (cada personagem deve falar como se fala no seu ambiente social, com relação à sua profissão ou trabalho e ao meio em que vive), o emocional (dentro do nível emocional podem ser incluídos os níveis anteriores, sempre que, através do que o personagem diz, expresse também, em maior ou menor medida, algum sentimento) e o espiritual (que está relacionado ao cultural; uma cultura elevada não é uma cultura erudita, mas que tenha um saber humano, espiritual elevado; logo, o diálogo espiritual é aquele no qual se expressam os pensamentos).

> Uma história com uma boa ideia inicial, com boas descrições e uma voz narrativa adequada pode fracassar como conjunto se os diálogos forem pobres ou pouco verossímeis.

Verificar o diálogo

O uso do diálogo implica um risco maior na hora de se criarem situações. Por ser uma aparente transcrição da linguagem oral, o leitor pode pensar que se trata de um texto menos elaborado. No entanto, sua elaboração é mais complexa do que se imagina. Um diálogo deve parecer muito natural e, ao mesmo tempo, evitar a maior parte dos excessos explicativos, a mediocridade, os subentendidos, o discurso pobre ou confuso da fala. Por outro lado, um narrador pode brincar com a linguagem "literária" e simular nos diálogos os aspectos banais da fala comum.

Outros riscos:

a. Diálogos artificiais, sem credibilidade.
b. Diálogos ambíguos, pouco claros.
c. Diálogos pouco definidos, que dificultam a identificação do personagem que está falando em cada momento.

Se você escolher o diálogo como forma narrativa que proporcione informações sobre os personagens, é bom que o leia em voz alta e comprove se soa de modo natural ou forçado. Convém também fazer algumas perguntas a si mesmo, como estas:

a. O vocabulário e demais características do discurso correspondem realmente à personalidade do falante?
b. Os personagens se diferenciam entre si ou são muito parecidos no seu modo de se expressar?
c. A situação em que a conversação se desenvolve fica bem delineada mediante o emprego dos diálogos?
d. Os diálogos — com ou sem anotações do autor, ou explicando o estado de ânimo e as características dos falantes — são sugestivos, ou explicitam em demasia e sem necessidade o contexto em que se dão?

> Ao compor os diálogos, você deve levar em conta que, na história narrada, o diálogo é útil para mostrar quem são os personagens; verifique, portanto, se o discurso de cada personagem é coerente com a ideia que você quer transmitir a respeito deles.

MONÓLOGO

O monólogo interior exibe a passagem dos pensamentos pela mente do personagem. Permite expressar a realidade tanto subjetiva quanto objetiva, revelando o mundo íntimo, a multidão de palavras que ocupam seus pensamentos e sentimentos.

É uma atividade pré-lógica do discurso mental que jorra nos caminhos lógicos da escrita. Não se faz como sequência lógica (a exemplo do que ocorre no pensamento real) nem traz comentários do narrador.

Exemplo:

O seguinte monólogo pertence à viúva no enterro do seu marido, com quem ela conversa intimamente. Surgem também palavras de outros personagens:

O negócio é mudar e se fazer de bobo, aprender o que não se deve, isso, que bons tempos agora, e embora você ria, Mário, a Espanha um dia salvará o mundo, e não seria a primeira vez. Eu acho graça de Valen, é uma menina de ouro, outro dia me vem e diz: "Vou para a Alemanha, é a única maneira de ter cozinheira, ama e criada", olha só que tirada, você mesmo há de reconhecer que tem senso de humor...

(Miguel Delibes, *Cinco horas com Mário*)*

Para que a história narrada seja coerente com sua forma de expressão, ao empregar o monólogo você deverá decidir qual a atitude do monologuista perante os fatos. Teste vários estados de ânimo até encontrar o mais adequado. Abaixo, uma lista de estados de ânimo que você poderá ampliar, baseando-se no comportamento de pessoas que você conhece:

- *Má vontade*
- *Tédio*
- *Suavidade*
- *Indiferença*
- *Ternura*
- *Tristeza*
- *Rancor*

> Lembre-se de que o monólogo interior é um fluxo de pensamentos que se expressam internamente. Portanto, sua escrita deve carecer da coesão e unidade do pensamento direto.

6.

O personagem é seu aliado

A ideia que nos leva à história escrita pode estar norteada por um ou mais personagens, por um personagem que ocupa toda a cena ou que fica no seu canto.

O escritor espanhol José María Merino conta que "um dia surgiu em minha imaginação a ideia mais ou menos clara de um homem que escrevia um romance. Apenas isso: um homem, um ser anônimo, cuja origem, dados biográficos e traços físicos eu era incapaz de identificar entre minhas próprias lembranças, um homem que escrevia um texto sobre o qual a minha única certeza era tratar-se de um romance. E a sua presença, muda e opaca, mas insistente, acabou se tornando tão incômoda que, por fim, pus-me a escrever um romance sobre um homem que escrevia um romance, numa espécie de ato conjuratório talvez muito próximo a isso que chamam de magia simpática, com a esperança de que, fazendo-o ocupar um lugar na realidade exterior, levasse-o a abandonar aquela parte de minha intimidade da qual ele havia tomado posse".

Introduzir um personagem no relato é fazer o leitor acreditar que esse personagem existe, é torná-lo interessante por suas ações, seus sentimentos e sua trajetória ao longo de um determinado número de páginas.

As três dimensões do personagem que o escritor deve conhecer (estejam diretamente ou não expostas na história escrita) são a física, a social e a psicológica.

De igual modo, os dados básicos a serem levantados antes de sua configuração são: os motivos que levam o personagem a atuar assim, seu nome, seu ambiente, sua forma de aparecer em cena, seu modo de falar e de pensar, seu modo de sair de cena.

Os personagens podem ser principais ou secundários, simples (concebidos com uma única finalidade e função, como Álvaro Mesía, de *A mulher do regente*, cuja função é ser o mulherengo da história) ou complexos e mutáveis (exercendo mais de uma função, e são o resultado de forças contraditórias desenvolvidas na trama, como o cônego Don Fermín de Pas, daquele mesmo romance).

> Você deve conseguir captar a individualidade do personagem. O personagem não deve ajustar-se a um estereótipo, a um retrato predeterminado e a uma atuação idêntica à de personagens semelhantes.

SUA CRIAÇÃO

Tenha você um personagem que o obceca ou que mal entrevê, poderá dá-lo a conhecer mediante um aspecto específico que o torne definido aos olhos do leitor: as ações, os gestos, os sentimentos, o modo de pensar ou reagir perante determinados estímulos, o entorno, um objeto, o tempo e o espaço no qual está situado, sua relação com outro personagem.

Alguns exemplos:

1. Mediante as ações:

   A mulher abriu tudo. Os porta-joias. Os cofres. A porta do vizinho. As cartas. As latas de atum. Os caixotes. Os armários.

   Comprovou que podia abrir tudo, mas quis ir mais além e abriu as montanhas, os céus, os mares, os rios, os corações.

   Tendo conseguido abrir tudo, comprovou que não lhe agradava o que tinha diante dos olhos. O vento entrava por todas as aberturas. Resfriou-se. Adoeceu. Abriu a gaveta dos remédios, abriu a cartela com aspirinas, abriu a boca e tomou dois comprimidos.

   Fechou, fechou, fechou, fechou, fechou, fechou, fechou, fechou, fechou, abriu a janela e jogou fora a chave.
   (Dolores Sierra, *O vento*)*

2. Mediante a reação:

   Gabriel aguardou. Quase de imediato viu que se acendia a luz no quarto situado à esquerda da porta. Enxergou sua sombra indo e vindo, agachando-se e levantando-se pouco depois. Supôs que estaria guardando coisas que acabara de comprar. A seguir a luz do quarto se apagou.

   Durante alguns instantes o apartamento permaneceu em total escuridão. Depois a luz se acendeu no quarto do andar superior, desta vez uma luz mais forte, permitindo ver a mulher com mais nitidez. Ela não fazia ideia de quanta nitidez.
   (P. D. James, *Um assassinato muito corriqueiro*)*

3. Mediante os sentimentos:

   Queridos pai e mãe:
   Já vejo, instalados em minha tristeza, os rostos de vocês quando terminarem de ler esta carta. O seu rosto, mamãe, inclinado sobre

este papel, como quando terminava de tocar ao piano, e seu olhar ficava um certo tempo perdido sobre o teclado.
(Dalmiro Sáenz, *A pátria equivocada*)*

4. Mediante os pensamentos e as reflexões:
O prazer de terminar as coisas. A sensação de finalizar. Terminar. Finalizar. O leve bater do martelo que, acariciando o ar, fecha as páginas das vidas anteriores. O saborzinho que fica nos lábios quando se conclui a leitura de um romance. As manchas de tinta que ficam nos dedos quando alguém se separa de uma mulher. O cloc-cloc de um disco antigo que se perde no infinito silêncio de um salão. As pós-datas de uma carta que convidam você a escrever. O final de um dia que, inevitavelmente, dá lugar a outra sucessão de vivências. O fundo de um pote de marmelada-roxa. Flores do campo, pedras do asfalto. A reserva de um depósito de gasolina. O último fotograma de um filme em preto e branco. A vigésima sexta foto de um rolo de filme com vinte e quatro poses. Doze badaladas e doze uvas. Bolos de aniversário e velinhas que se apagam. Mulheres que deixam você sozinho no ponto de ônibus. Mulheres que atendem o telefone exatamente na hora em que acabam as suas fichas. Piii. Reinícios informáticos. Último tíquete de metrô. Cartão inválido. O fogo que se apagou graças à ação dos bombeiros e, claro, o descansar da pena quando acaba a tinta. O fim do princípio de terminar.
(José Luis Lozano, *Terminar*)*

5. Mediante um objeto que lhe pertence (os óculos):
Pacífico Pérez, de traços fisionômicos nobres, era alto e extremamente magro. Em virtude da sua timidez, e talvez da sua doença, caminhava ligeiramente encurvado. Isto, unido às entradas prematuras e aos óculos de lentes grossas que, como bom tímido, procurava ajustar ao rosto constantemente, segurando-os pela haste direita, davam-lhe um ar intelectual que desmentia seus gestos e, em particular, seu tom de voz e sua fala, decididamente rurais.
(Miguel Delibes, *As guerras dos nossos antepassados*)*

6. Mediante a relação com outro personagem:
Através das lágrimas, vejo-a explicar pacientemente a minha situação, aos pés da minha cama. Tenho quatorze anos e ela, dezoito, cursando o primeiro ano do Colégio de Professoras do Estado de Newark, uma moça grande, pálida, destilando melancolia por

todos os poros. Às vezes vai a um baile popular da ACM de New-ark, em companhia de uma outra moça grande, feia, chamada Edna Tepper (que, no entanto, tem a seu favor um par de peitos do tamanho da minha cabeça).
(Philip Roth, *Complexo de Portnoy*)[16]

7.

As funções do tempo e do espaço

Para ambientar a história narrada recorre-se a dois mecanismos indispensáveis: o tempo e o espaço. Os personagens atuam no tempo: vivem suas aventuras enquanto o relato está sendo feito ou recordam-se de outros tempos nos quais outros fatos se deram. O tempo marca a passagem do relato através das épocas e das culturas. Os personagens movem-se no espaço, os lugares por que andam são significativos, estejam descritos ou não pelo narrador: toda boa narrativa deixa entrever para o leitor como é o lugar onde se dão os acontecimentos importantes ou secundários.

ARTIFÍCIOS LITERÁRIOS

Do ponto de vista temporal, podemos contar os fatos na ordem que desejarmos. A narrativa pode ser:

a. Posterior: é a mais comum, na qual se emprega o tempo passado;
b. Anterior: é a antecipação da história posterior mediante um sonho, etc.;
c. Simultânea: os tempos da história narrada e da própria narração coincidem, como no diário íntimo ou numa série de ações contadas em diferentes sequências, mas que ocorrem simultaneamente;
d. Intercalada: é aquela na qual a narrativa e a história podem entrecruzar-se, como na narrativa epistolar em que a carta é ao mesmo tempo instrumento para comunicar o que se narra e o elemento que sustenta a intriga, ou quando há intercalação entre passado e presente, evocação dos acontecimentos que se dão "diante dos olhos do leitor".

Pode-se também quebrar a linearidade do tempo, fragmentando e dispersando os fatos, como faz Miguel Delibes em *Parábola de um náufrago.*

Quanto à apresentação do espaço, pode-se escolher lugares externos ou interiores, amplos ou estreitos, escuros ou claros, focalizando-os de diferentes perspectivas e observando-os com precisão, conforme vimos no capítulo 4.

> Ambiente a sua história, sabendo por que escolheu determinado tempo e determinado lugar. Lembre-se de que os fatos serão outros se ambientados dois séculos atrás. Também há diferenças se a história se passar num mercado ao ar livre, à margem de uma estrada, numa danceteria ou num confessionário.

PRINCIPAIS OBJETIVOS

Tempo e espaço contribuem para a concretização de determinados objetivos associados a outros aspectos da narrativa. Entre eles:

1. Criar a atmosfera

   A descrição do tempo costuma vincular-se à do lugar e requer o uso dos adjetivos, administrados com bom-senso.

   Exemplo:

   Nos dias cinzentos do outono, ou em março, quando o inverno termina, sente-se nesta planície silenciosa o espírito austero da Espanha clássica, dos místicos inflexíveis, dos capitães tétricos — como Alba —; dos pintores angustiados — como Theotocópuli —; das almas impetuosas e irrequietas — como Palafox, Teresa de Jesus, Larra —... O céu é cinzento; a terra é negrusca; colinas avermelhadas, colinas grises, remotas silhuetas azuis fecham o horizonte. O vento ruge a intervalos. O silêncio é solene.
   (Azorín, *A vontade*)*

2. Contribuir para o movimento, a velocidade ou a imobilidade da cena

   Dependendo do modo como se apresente o conteúdo do espaço, a cena pode ser mais lenta ou mais rápida, ou pode-se combinar as duas modalidades num só parágrafo.

   Exemplo:

   Os livros, a mesa de madeira, meus lápis de cor. Meu cachimbo ao lado daquela velha foto de Ana. O toca-discos mudo. A alfombra desfiada. A caixinha fechada com a coruja gravada na tampa. O pedestal da estátua empoeirado. Os almofadões e suas capas de crochê. A lâmpada pendurada por um fio. As cortinas vermelhas amenizando a luz. Os cantos do teto formando um minúsculo ponto de onde as paredes descem velozes até o chão.
   (Vicente Cervera, *A morada interior*)*

3. Trabalhar simultaneamente duas cenas distantes

   O recurso mais comum é utilizar a conjunção "enquanto" para estabelecer essa relação.

Exemplo:

Enquanto caminhava na escuridão, surgiu à sua frente o rosto de Emília: fino, de tom oliváceo, seus negros olhos judeus, o nariz eslavo arrebitado, covinhas nas maçãs do rosto, testa alta, cabelos repuxados para trás e, sombreando-lhe o lábio superior, uma penugem escura. Sorria-lhe, tímida e lasciva ao mesmo tempo, e o olhava com uma curiosidade simultaneamente mundana e fraternal. Desejaria estender a mão e tocá-la. Era tão viva assim a sua imaginação ou era na realidade uma aparição? A imagem da mulher retrocedia como se fosse a imagem de uma santa estampada na bandeira de uma procissão religiosa. Ele viu os detalhes do seu penteado, o enfeite que luzia ao redor do seu pescoço, os brincos pendurados nas orelhas.

(Isaac Bashevis Singer, *O mágico de Lublin*)*

4. Caracterizar um personagem e apresentar sua situação social, mostrando o espaço a que pertence e o tempo em que vive

Uma possibilidade é trabalhar com os verbos no pretérito imperfeito para a descrição do entorno e no pretérito perfeito para contar o que o personagem fez.

Exemplo:

Morava numa cabana de bambu de uns dez metros quadrados nos quais ordenava os poucos móveis; a rede de juta, o engradado de cerveja que sustentava o fogareiro a querosene e uma mesa alta, muito alta, porque quando sentiu pela primeira vez dores nas costas soube que os anos lhe pesavam e decidiu sentar-se o menos possível.

Construiu então a mesa de pés compridos, e ela lhe servia para comer em pé e para ler seus romances de amor.

A cabana era protegida por um teto de palha trançada e tinha uma janela aberta para o rio. À sua frente se encostava a mesa alta.

(Luis Sepúlveda, *Um velho que lia romances de amor*)[17]

5. Antecipar uma situação, indicando, antes do aparecimento do personagem, um elemento temporal associado a outro, espacial

Exemplo:

Num domingo, Wall Street é tão deserto como Petra, e todas as noites de todos os dias são um imenso vazio. E até este prédio, que

nos dias de semana reverbera vida e produtividade, à noite ecoa de tão absolutamente vazio e fica abandonado durante todo o dia de domingo. E é daqui que Bartleby faz seu lar; único espectador de uma solidão que ele já viu populosa — uma espécie de Mário inocente e transformado, meditando sobre as ruínas de Cartago!
(Herman Melville, *Bartleby, o escriturário: uma história de Wall Street*)[18]

8.

Conclusão

Terminada a leitura deste livro, inicia-se a tarefa prazerosa de levar a sua história para o papel. Agora você já conhece as etapas necessárias para passar da ideia à narrativa e os elementos de que ela se compõe.

Se você quer desenvolver uma ideia, num primeiro momento pode dedicar-se somente a fazer anotações sobre tudo aquilo que a ideia venha a desencadear. Deste modo, quando começar a escrever, conhecerá bem a história, saberá quem são os personagens principais, quando e de onde se conheceram, e quando e como seus caminhos se cruzarão novamente. Com este esquema, você chegará a conceber o final antes mesmo de decidir qual o melhor começo para a sua história.

A partir de uma ideia, tenha ela nascido de uma experiência real, vivida, observada, ouvida, apreendida em parte ou em sua totalidade, deflagram-se os mecanismos da imaginação. É bom que você saiba distinguir que tipo de narrativa adotará: emotiva, sentimental; ou de ação, aventuresca; ou analítica... Em outras palavras, você precisa reconhecer o tom da ideia para encontrar o tom de sua narrativa escrita.

É também aconselhável ir escrevendo a história que a ideia lhe sugere, sem perder tempo com demasiadas exigências. Escreva um primeiro rascunho: embora avance lentamente, já estará contando a história. Mais tarde será o momento de revisar e reescrever. Lembre-se de que não há nada para corrigir quando não se escreveu nada.

A tarefa lhe parecerá mais fácil quando você souber qual o tipo de narrador mais adequado e como seus personagens devem falar.

O escritor uruguaio Horacio Quiroga dizia que não devemos nos distrair, vendo o que os personagens não podem ver. Por exemplo, erro típico de principiantes é apresentar o pensamento e o discurso de um personagem simplório com elucubrações complexas. É óbvio que tais reflexões não pertencem àquele personagem.

Na etapa seguinte, a sua missão é dar uma forma à história, convertê-la em narrativa literária, de preferência numa boa narrativa literária. Para tanto, você deve organizar as anotações que fez, pensando no que será melhor para os seus leitores. Narrar consiste em saber as informações que você deve revelar, bem como as que não deve dar. Thomas Hardy acreditava que uma narrativa escrita, um romance, por exemplo, deve ser um relato melhor do que uma notícia publicada no jornal. Com esse "melhor" queria dizer que a história deveria ser mais complexa, mais extensa, com uma série de conexões que a notícia jornalística ou a história que se ouve numa conversa não possuem. A narrativa literária deve estar apoiada numa estrutura coerente, com princípio, meio e fim bem equilibrados, simétricos, e que o desenlace da história seja inevitável, ou seja, que nasça do conjunto do texto como consequência necessária e insubstituível.

Por fim, lembre-se que uma boa narrativa dá ao leitor a sensação de que as coisas acontecem com naturalidade. Mas para conseguir esse efeito não se trata de considerar como definitiva a primeira versão escrita. Você deve se aproximar ao máximo do ideal que tem em mente, não escrever demais, procurar a musicalidade adequada, a palavra exata, encontrar a harmonia, trabalhar muito a linguagem, ler o texto em voz alta como método de controle, fazer com que as palavras digam o que você quer que elas digam. E, se você ainda tem alguma dúvida, veja o que fizeram os grandes escritores. Na maioria das vezes, essa naturalidade é decorrência de muito planejamento.

Notas

* Tradução de Gabriel Perissé do original em espanhol.

** Texto original em português.

1. VARGAS LLOSA, Mario. *Cartas a um jovem escritor*. Tradução: Regina Lyra. Rio de Janeiro: Elsevier, 2006, p. 29.
2. CALVINO, Italo. *A aventura de uma banhista, em: Os amores difíceis*. Tradução: Raquel Ramalhete. São Paulo: Companhia das Letras, 2008, p. 29.
3. CALVINO, Italo. *A aventura de um míope, em: Os amores difíceis*. Tradução: Raquel Ramalhete. São Paulo: Companhia das Letras, 2008, p. 97.
4. CAPOTE, Truman. *Súplicas atendidas*. Tradução: Guilherme da Silva Braga. Porto Alegre: L&PM, 2009, p. 173.
5. SALINGER, J. D. *O apanhador no campo de centeio*. Tradução: Álvaro Alencar, Antônio Rocha e Jório Dauster. Rio de Janeiro: Editora do Autor, s/d., p. 117-118.
6. DOSTOIÉVSKI, Fiódor. *Os irmãos Karamázov*. Tradução: Paulo Bezerra. São Paulo: Editora 34, 2008, vol. 2, p. 526-527.
7. STENDHAL. *O vermelho e o negro*. Tradução: Raquel Prado. São Paulo: Cosac Naify, 2003, p. 34-36.
8. BALZAC, Honoré de. *O médico rural*. Tradução: Vidal de Oliveira. Porto Alegre: Lobo, 1958, p. 89.
9. MARÍAS, Javier. *Menos escrúpulos, em: Quando fui mortal*. Tradução: Eduardo Brandão. São Paulo: Companhia das Letras, 2006, p. 83.
10. NABOKOV, Vladimir. *A pessoa em questão*. Tradução: Sergio Flaksman. São Paulo: Companhia das Letras, 1994, p. 83.
11. CARVER, Raymond. *O trem, em: 68 contos*. Tradução: Rubens Figueiredo. São Paulo: Companhia das Letras, 2010, p. 579-580.
12. STERNE, Laurence. *A vida e as opiniões do cavalheiro Tristam Shandy*. Tradução: José Paulo Paes. 2ª ed. São Paulo: Companhia das Letras, 1998, p. 221.

13. TOLSTÓI, Liev. *Anna Kariênina*. Tradução: Rubens Figueiredo. 2ª ed. São Paulo: Cosac Naify, 2009, p. 19.
14. FLAUBERT, Gustave. *Madame Bovary*. Tradução: Ilana Heineberg. Porto Alegre: L&PM, 2009, p. 130.
15. SALINGER, J. D. *Lindos lábios e verdes meus olhos, em: Nove estórias*. Tradução: Jório Dauster Magalhães e Silva e Álvaro Gurgel de Alencar. Rio de Janeiro: Editora do Autor, s/d., p. 103.
16. ROTH, Philip. *Complexo de Portnoy*. Tradução: Cezar Tozzi. Rio de Janeiro: Editora Expressão e Cultura, 1970, p. 88.
17. SEPÚLVEDA, Luis. *Um velho que lia romances de amor*. Tradução: Josely Vianna Baptista. Rio de Janeiro: Relume Dumará, 2005, p. 35-36.
18. MELVILLE, Herman. *Bartleby, o escriturário: uma história de Wall Street*. Tradução: Cássia Zanon. Porto Alegre: L&PM, 2003, p. 50-51.

Este livro foi composto com tipografias Minion Pro e Officina Sans
e impresso em papel Off Set 90 g/m² na Gráfica Paulinelli.